①

大和村今里集落の豊年祭：土俵では豊年相撲が行われる（提供：大和村役場）

②

カミ山の頂上には傘の形状の琉球松がある
宇検村阿室集落のカミ山（筆者撮影）

③

奄美の墓地は海に面し、仏教のお墓と十字架が混在している　徳之島町母間花時名集落（筆者撮影）

④

集落合同でその年の干支の人を盛大に祝う「年の祝い」
奄美市小宿集落（筆者撮影）

⑤

旧暦の七夕まつり：本土の盆の頃、祖先を迎えるために七夕を掲げる　（提供：大和村役場）

⑥

先祖への感謝：アラセツ各家では高祖ガナシ（先祖）へ料理を供える　龍郷町秋名集落（筆者撮影）

⑦

平瀬マンカイ後の一重一瓶の宴：帰郷した人びとも参加し浜は賑やか　龍郷町秋名集落（筆者撮影）

湯湾釜のムチモレ：各家を回って踊り無病息災を祈る（提供：大和村役場）

尾母集落の伝統行事の継承：各家を訪問し集落に伝わる「どんどん節」を歌う子ども達
（提供：徳之島町役場）

長生きがしあわせな島
Amami Islands
〈奄美〉

奄美の
伝統行事がわかる
DVD
付き

冨澤公子
TOMIZAWA KIMIKO

かもがわ出版

はじめに：人生１００年時代の「しあわせ」とは

長生きへの二つの意見

長寿の薬を求めて渡来した徐福や、不老長寿の薬を翁夫妻に残した「竹取物語」の世界にみられるように、長寿は人類が「しあわせ」と同様に探し求めた祈願ではなかっただろうか。今日、私たちは長寿を手に入れ、人生１００年時代が到来しようとしている。では、私たちは他の時代の人々よりも長寿を「しあわせ」と感じて暮らしているだろうか。

今の日本では、「長生きはしあわせ」かという問いに対して、二つの意見が交差する。近代科学の成果は経済的豊かさと利便性の高い暮らしを実現し、長寿と豊かな生活の両方を叶えてくれたという意見がある。他方で、長すぎる老いへの戸惑いがある。孤独が増し、一人暮らしも増えている。災害のたびに、被災する多くの方が高齢者である。

年長者への敬愛が薄れ、「いのち」を暴力で虐待し、排除する。さらに、若い層には、医療費や年金費用の負担をかける存在だという意見さえある。

不安な老いから、「しあわせ」な老いへの転換を

長寿が実現した時代のなかで、私たちは「長寿」を歓迎するより、「長すぎる老い」に不安になっていないだろうか。物に溢れた便利な暮らしのなかで、何か、満たされない思いを感じてはいないだ

ろうか。

身近にあった鎮守の森や野原がなくなり、子どもたちの遊び声が消え、都会は高層ビルのジャングルと化した。自然との触れあいや人とのつながりが失われ、時間だけが慌ただしく過ぎる生活のなかで、心は置き忘れた何かを求め、彷徨《サマヨ》ってはいないだろうか。常に、どこかに、温もりを感じるしあわせのカギを探してはいないだろうか。

奄美で発見した「しあわせ」とは

本書の舞台である奄美群島（以下「奄美」）は、本土から遠く離れた鹿児島県の離島である。過去には外部権力からの圧政や収奪の歴史に翻弄され、辛酸な生活を経験している。温暖な自然がもたらす恩恵とともに過酷な自然の脅威もある。ＧＤＰ（国内総生産）の経済指標では低位に属する地域でもある。

しかし、奄美の人々は集落（以下「シマ」）を基盤に、伝統行事や祖霊行事を守り、相互扶助や結いの習慣を大事にし、物不足や貧しさを補い支えあい、協働しながら生きてきた。「長生き」にとっても、「子育て」にとっても「しあわせ」を感じる環境が、「長寿で子宝」の島を実現している。

祭りはシマに生きる人々の歓び

奄美のシマには、都市部で失われた自然と共生した暮らしや、伝統文化を継承した暮らしがある。その象徴として息づいているのが、「祭り」である。「祭り」によって人々は集い、互いの無事を祈る。

おしゃべりと笑顔が弾け、人々を一体化させる。

祭りは、長寿者の技や潜在能力が生かされる場ともなる。祭りによって、若い世代へとシマの固有の文化が引き継がれるのである。シマの人々の協働の力が発揮される祭りは、シマの全員に生きる歓びと楽しみを与えてくれる。長寿者が自身の存在意義を感じる場でもある。

奄美、長生きがしあわせな島

健康長寿者が多い奄美には、大らかで懐かしいコミュニティが築かれている。かつての農村社会にあった生活文化が今もなお息づいている。人々の暮らしには、自然の恵みへの感謝と豊作への祈願、今の豊かさを築いてくれた先祖への恩を忘れない暮らしがある。人々は祭りや伝統行事を通じ、シマの平和と家内安全を祈る。シマの全員が集う祭りは、長寿者が来年も見たいという、長生きを願う場ともなる。

シマは、子どもにとっても長寿者にとっても、居心地の良い居場所を提供している。行き交う人々の笑顔と挨拶の声、おしゃべりと子どもの駆け回る歓声が響く。奄美のシマで、私たちは慌ただしい日常の中で置き忘れていた、何か懐かしい「しあわせ」の鍵を発見するかもしれない。

人生は長くなった。後に続く若い世代が、「少子高齢化」を嘆く未来ではなく、歳を重ねる歓びや、子どもを産み育てることが幸福と思う社会の実現が、国民の課題となってきている。そのために、健康長寿を支えているシマの地域経営の内実を、しあわせな老い（サクセスフル・エイジング）のヒントとして探っていきたい。

長生きがしあわせな島〈奄美〉DVD付き ◆ 目次

装丁　加門啓子

序章　長寿時代の人間発達と地域コミュニティ

多くの人が長生きを享受できる大衆長寿の時代を迎えている。平均寿命は年々伸長し、男女共に81歳を超えている。戦後70年間で、30歳以上の伸長である。

１００歳以上の百寿者は、調査が開始された１９６３（昭和38）年の１５３人から２０１９年には7万人を突破した。現在の国内最高齢者は１１６歳の田中カ子（かね）さん（福岡市在住）である。百寿者の増加につれ長寿研究も、これまでの１００歳以上から１０５歳以上の超百寿者へ、そしてさらに１１０歳以上のスーパーセンテナリアンへと移行している。まさしく21世紀初頭において、人類が希求してきた長寿は実現したのである。

一方で、今日の社会では、長寿は「長すぎる老い」として、財政赤字化の主要な原因とされる傾向にある。深刻な財政赤字化については、累進課税システムの後退や大災害による公共工事の拡大、新冷戦下における防衛力強化と防衛関係費の増加、日銀による国債引受けの拡大など、多くの要因がある。にもかかわらず、高齢化による医療費・介護費用の増加が、国家財政赤字の最大の要因としてクローズアップされている。そこに、少子化による人口減少への危機感が重なってくる。

この背景には、経済成長至上主義のもとで効率や若さが賞賛され、高齢者は社会のお荷物、国家財政や経済発展にとってのブレーキという視点がある。そのため、高齢者は一様に非生産的・社会的負担として、十把一絡げにネガティブな量として把握されてきた。

しかし、高齢者の生活の質に注目すれば、加齢は一様に衰退現象ではない。内閣府が毎年表彰しているエイジレス・ライフ実践事例では、年齢にとらわれず新たなことに挑戦する超高齢者（85歳以上）や百寿者（１００歳以上）が、現役で仕事や趣味に活躍する姿が紹介されている。歳を重ねて、さらに潜在能力を開花させて活躍するスーパー老人の存在もある。

今後は、マクロな量的レベルだけでなく、高齢期の幸福感に焦点を当て、潜在能力や役割、地域との関わりが周囲の人々に与える影響や、長生きをしあわせと感じる地域づくりに注視した、ミクロなレベルからの議論も必要となっている。

世界の長寿地域（ブルーゾーン）で知られるイタリアのサルデーニャ島バルバギア地方、沖縄、ギリシャのイカリア島などでは、長寿者は共通して体を動かし、健康的な食生活、孤独ではなく生きがいがある、家族のきずなと強い満足度の高い生活実態が、明らかにされている。

また近年では、老いを生涯発達過程の一部として捉えることにより、潜在能力や叡智、歳を重ねる幸福感などが明らかにされている。加齢に伴って人は内省的にものごとを考え、利他的な傾向になることも注目されている。[1] 自己や他者の幸福をどうすれば実現できるか、潜在的な力量をどのように発揮して現実の社会に貢献できるかなど、損得勘定では測れない、多様な思考性を携えていく傾向にある。

一方で、これまでの長寿研究では、主に医学や保健・衛生、食文化、ライフスタイルや個々人が受け取る給付に着目されてきた。しかし近年、長寿（の実現）には遺伝要因よりも環境要因の重要性が明らかにされている。他方、筆者が議論している健康長寿とコミュニティの関連についてはあまり注目されていない。しかし、その地に住む長寿者の長寿への歩みや幸福感は、地域固有の自然や文化、習慣などのコミュニティ特性を視野に入れることによって、より理解が深まると考えるのである。

現状では、超高齢者の地域貢献や能動的な老いがもたらす健康長寿の効用や、それを支える地域コミュニティの役割に焦点をあてた研究は、未開発であることを指摘しうる。本書が、伝統的共同体の残る長寿地域「奄美」のシマの文化資本・社会関係資本に焦点を当て、超高齢者の長寿と幸福感を紐解く理由がここにある。

長寿は個人の努力とともに、それを支える家族・近隣などの地域コミュニティが重要となる。人は長生きのために長生きするのではなく、家族と自分との関係や地域における自身の存在意義などを背景に元気に活動できるのであるから。その実証のために、地域の一員としての参画、役割など、具体的な人間発達の現場である奄美のシマのコミュニティに注目する。

舞台は奄美の島・シマ

本書の舞台は、伝統的共同体の残る奄美のシマである。奄美の「長寿で子宝」を実現している要因に注視すると、シマのコミュニティ環境が健康長寿と幸福な老いに関連することが推察される。そのため、シマの文化資本と経済資本が相互循環するシステムについて、社会学、老年学、心理学、経営学、文化経済学、民俗学など多様な学際的成果を踏襲し、その基盤を解明する。

奄美のシマの営みをクローズアップすることで、各地で失われた文化的伝統や世代間共生・協働の再構築に貢献できると考える。奄美をＧＤＰの経済指標で測る衰退地域ではなく、長寿社会の到来のなかで健康長寿と幸福な老いを実現している、地域経営の先進的モデル地域となることが明らかとなるだろう。

主人公は奄美の超高齢者

奄美の超高齢者は、先代から伝わる祭りや儀式、踊りの所作、ノウハウを身につけた存在として、これらの伝統文化を若い人に伝える役割の場がある。これまでの通説では、超高齢期は長寿ゆえの脆弱さが顕著な時期として、サクセスフル・エイジング(しあわせな老い)には否定的でさえある。しかし、本書では、奄美の超高齢者をポジティブな視点から捉え直している。

多世代が共生している奄美のコミュニティでは、超高齢者は現役世代からもたらされる経済資本からの支援（年金制度や医療制度、経済的援助）を受けることによって、叡智やノウハウなどの潜在能力を地域に還元しうる存在となりうる。そうした超高齢者の潜在能力に光を当て、次世代との協働・共生によって、地域創造の要をなす存在として位置づけられるのである。

本書のねらい

本書のねらいは四つある。一つは、健康長寿者の多い奄美のシマを人間発達の現場として注目する。長寿を支えるシマの地域経営と、そこに機能する社会システムを明らかにするためである。そのために、超高齢者一人ひとりの行動や意識、シマの人々、居住空間、伝統文化や習慣に注目し、質的（インタビュー）と量的（アンケート）調査を行っている。

二つに、超高齢者の精神的次元の力量ともいえる老年的超越に注目する。超高齢者の超越傾向は、心理学や社会学の概念からは、若い頃の産業と生活における労働の苦しみや歓びという体験を経たのちに身につけた、心の落ち着きとも理解できる。文化経済学の概念からは、「精神的資産」として理解される。このような理解は、地域という場における対話のなかで、「語られる人生」のなりたち、おいたちを複数以上調査して、共通のものを文脈的価値として把握してこそ可能となった。

三つに、虚弱化する身体に適応しながら利他性への移行や世代性が高まっていく、超高齢者の幸福感の醸成に注目する。幸福については各国で幸福度指標が作成され、国際比較が可能となる時代となった。人間の幸福を幸福感だけでなく、幸福感を生み出す客観的基礎も研究されてきた。さらに、幸福の客観的基礎には心や知恵の問題だけでなく、仕事を通じての協働の学びあい、育ちあいも幸福への欲求として把握できる。その過程で、互いの人格を尊重しあうという信頼関係にあることが理解されるのである。

四つに、人とひととのつながりのなかで高まる人間発達と生活の質に注目する。つながりやきずなという社会関係資本の概念は、単なる人間同士の信頼関係というよりも、仕事や生活上の「困ったときはお互い様」という協働と関わる信頼関係であり、「乏しいものを分かち合う」という利他の精神が、公正な分配に係わる幸福感を醸成し、信頼関係を深めることがわかるのである。

　今後ますます進展する長寿社会は、少子高齢化の深刻化として危惧される側面も無視はできない。しかし同時に、健康長寿者のもつ老いの価値に光を当て、高齢者世代と現役世代が共に学びあい・育ちあいながら、長寿と多子化社会を実現するという、新たなシステムづくりが重要となる。そのことによって、持続的発展の可能な地域コミュニティが創造されるのである。

　このような信頼やつながりの基盤（プラットホーム）のモデルが奄美のシマにはある。奄美をモデルとしながら、各地において健康長寿のしあわせな社会を実現する道こそ、長寿時代の国民的課題と考える。

第1章　奄美の歴史とシマへのまなざし

1　奄美の歴史をたどる

歴史の持つ意味

史学のもつ意味について柳田は、『青年と学問』のなかで次のように述べている。

「史学は古いことを穿鑿《センサク》する技術ではけっしてない。人が自己を見出すための学問であったのだ。……現在のこの生活苦、もしくはこうした争い、また闘わねばならぬことになったなりゆきを知るには、我々のもつところの最も大なる約束、すなわちこの国土、この集団と自分自身との関係を、十分に会得する必要がある。それを解明する鍵というものは、史学以外には求めえられないのであった」。

柳田が、歴史学を「人が自己を見出すための学問」というとき、それは、各地で現実に生きている人々が、今の生活における苦労や歓びなどの原因を、〝過去の成りゆき〟の研究によって知ることを意味する。それゆえ、奄美の〝過去の成りゆき〟の文脈を解明することこそ、現在の奄美のシマと人々の長寿としあわせな老いを理解する鍵となろう。

奄美へのまなざし

奄美の歴史を理解するために、作家島尾敏雄の「奄美：日本の南島」[2]の語りを借りようと思う。

「わが日本は、……（アジア大陸の）はじっこに、ふりおとされまいとしてしがみついている。……大海原のまっただ中にほうりだされないで、大陸のそばにくっついていられるのは、たぶん、上と下（つまり北と南）の部分に、支え綱の役割をした弓なりに、点々とつらなる島々の帯があるからにちがいない。……その中の南の部分にあたる弓なりにそりかえった列島の（それを琉球列島もしくは南西諸島と呼んでいるが）北の部分にあたる、われわれが奄美群島と呼んでいる地帯の島々……その大洋のただ中にも人間生活のひとつのタイプがあることを理解したいと思う。つまり、よく目をこらして見ると、けしつぶほどの小さな島々が、孤独を紛らそうとより添うように、いくつかのグループをつくってかたまりあっているのを見つけることができるはずである」。

島尾は、日本列島を大陸にしがみつこうとしている姿ではなく、太平洋の中でゆったりと手足を伸ばしているもう一つの姿としてとらえ、その連なりをメラネシア、ミクロネシヤに名添え、ヤポネシアと名づけている。そして、本土ではあまり知られていない奄美の歴史に触れる。

「琉球列島は、日本本土にとって長いあいだ忘れられた島々であった。この島々の事情は伝わらず、無視と誤解の中で処遇され、本土にとっては余分な、厄介者とみなされてきた。……しかし果たしてそうなのだろうか。まえに書いた比喩を使うなら、この琉球列島のつなぎとめの花かざりの弧がなかったなら、日本本土は大陸の遠心運動にふりまわされ、太平洋のただ中にほうり出され崩壊していただろう。……この列島は先史の時代から、日本本土への文化的、政治的な影響を石伝いに運ぶ海上の道であった。……にもかかわらず、本土はこの島々の役割を見抜き評価することができなかった……」。

「この島々の置かれてきた悲しい歴史の根に横たわっているひとつの宿命は、それはこの島々に砂糖黍が栽培でき、そして砂糖ができるということだ。……薩摩藩主の島津氏は、……やがてこの島々に砂糖のできることを知ってどれほど喜んだことだろう。奄美の悲劇的な運命はそのとき方向を定めたといっていい。……薩摩藩は2世紀以上も奄美を砂糖島としてとじこめ、しかもいろいろな方法を講じて一片の砂糖をも島の中に留めおかず藩の倉庫に収容し、……島の人々は自分で作った砂糖を、ひとかけらも法にふれずに食べることはできず、それを敢えてすれば屈辱的な処罰を受けなければならなかった……」。

「また薩摩藩は、島々の生活・風俗のはしばしまで本土と差別化して取り扱った。結髪のかたちや衣服、……苗字があたえられる場合も……一字だけで表すことを強いられた。さらに、その時代全体を通じて、藩は島々に武士階級を正式には認めようとしなかったのである（つまり奄美の島々は封建制を充全には経験しないことになった）……奄美の人々は、長いあいだ自分たちの島が値打ちのない島だと思い込むことになれてきた。……しかし、明治維新……（薩摩）藩の経済を支えていたものが、奄美が島々を挙げてゆがんだ砂糖島にさせられた犠牲の上になっていることを知る者は少ない」。

島尾が明らかにする奄美の悲惨な歴史は、本土の人々にはあまり知られていない史実である。しかし、日本の近代化の中で薩摩藩が演じた役割の大きさを考えるとき、その成果は奄美の人々の大きな犠牲の上に成り立っていたことが理解できる。後世の奄美の人は言う。

「もしも奄美がなかったなら、薩摩は植民地を持つことができず、従って、明治維新を起こすことなど、到底、おぼつかなかっただろう。いやその前に奄美がなかったら、南北200キロの「道之島」が存在しなかったら、大和勢力も沖縄島とは無縁だったかもしれない。そう考えれば、奄美は、日本の多様性と近代化の無言の立役者なのです」と。[3]

奄美の近世までの精神史

奄美の歴史について、奄美出身の歴史家昇曙夢の『大奄美史』から紹介しよう。奄美の名称は、古くは阿麻弥（古事記）、または海見（日本書紀）とも書く。阿麻弥の名は南島の祖先神で開闢の女神と伝えられる阿麻弥姑《アマミコ》からでている。奄美が辿った歴史は我々が知っている日本の歴史の流れとも沖縄諸島の流れとも異なって、原始から幕末までを「奄美世」「按司世」「那覇世」「大和世」の4つに区分される。

「奄美世（アマンユ）」は、奄美の文化の始まりとされ、奄美が唯一誰にも占領されなかった時代とされる。考古学的にみると、旧石器時代2万5000～3万年前のものと推定される打製石器等の出土品が発見されている。徳之島の天城遺跡は約3万年前、南東諸島では最古の遺跡とされている。島内の各地から、縄文前期、縄文中期、縄文後期とする土器が出土しており、奄美は孤島ではなく、古くから独自の文化の形成や他地域との交流があったことが示唆されている。

「按司世（アジユ）」は、8、9世紀ごろ島の有力者按司《アジ》によって支配割拠された階級社会の時代とされ、沖縄同様にグスク（城）が成立していた。しかし、沖縄の主流が城郭だけであったのに対し、奄美のグスクは拝所・墓所・集落・館を有し、シマ単位に作られ、集落住民の共有施設の性格が強かったとされる。按司は島の有力者となり、海上運輸と流通に深くかかわって勢力を広げていく。

この頃、奄美のサンゴ礁は夜光貝の宝庫で、酒杯や螺鈿《ラデン》などの工芸品として珍重された。按司のオナリ（姉妹）はノロ（女性神官）となり、祭司長となって支配を強化する役割を担っていた。11、12世紀以降、徳之島産のカムィ焼（類須恵器）は奄美から琉球に広がり、12世紀には奄美産の夜光貝の螺鈿が中尊寺金色堂で見られるなど、奄美の産出物は島外にも流通している。

13世紀の初頭から14世紀にかけての奄美は、鎌倉幕府の得宗領とされていた。15世紀には、奄美を挟んで琉球王国と日本勢の往来が盛んとなり、15世紀の半ば以降、奄美をめぐって琉球王国勢と日本勢が合戦し、琉球王朝勢が勝利を収めることになる。

「那覇世（ナハユ）」は、14世紀から2世紀の間で、奄美は琉球王朝の統治下に入る。この時代は「那覇世」と呼ばれる。奄美は琉球王国の地方行政機関に組み込まれ、間切（地方行政単位）され、間切り役人は王の公文書により任命された。ノロは祀りを司る女性神職として辞令書で任命されていた。ノロ制度を有効に使った神権国家として、ノロは冒険航海者の男たちの守護者としての強力な霊力が要請された。奄美のオナリ神信仰と海神信仰が強化されていく。

「大和世（ヤマトユ）」は、島尾の記述にあるように、薩摩藩に支配された時代で、奄美の人々にとって最も悲惨な世である。薩摩藩による支配が確立し、奄美は道之島として琉球への水の供給や明の密貿易を含む海上利権、そして次第に砂糖島として植民地化されていく。この時代は16世紀から19世紀後半まで2世紀半にわたって続くこととなる。

砂糖島としての植民地

薩摩藩は、当初（1633年）は年貢上納体制で、水田の管理や田地開発などに力を注いでいた。しかし、次第に黒糖生産量は増えていき、延享2（1745）年には貢米はすべて黒糖で上納する、いわゆる「換糖上納制」となり、砂糖生産が中心となってくる。奄美全域で稲作は禁止され、水田や畑は全て黍畑に変えられ、藩の財政確保を目的にサトウキビの単作化が進む。奄美は完全な植民地となっていく。「すべては薩摩藩の借金返済と財政力強化のためで、黒糖収奪は搾取以外の何物でもなかった」と指摘される。[4]

加えて薩摩藩は砂糖増産のために奄美古来の習俗・信仰を廃止し、鹿児島的封建社会への編成替えを行っていく。奄美の習慣であった遊日が禁止されていく。遊日とは島内の男女が仕事を休んで遊ぶ休暇のことである。正月元旦、三月三日、八月節句など、年間35日に及ぶとされていたが、厳しい農作業の間の束の間の楽しみも、薩摩藩の封建社会の論理で剥奪されていくこととなる。

一方で、奄美が「薩摩」へ同化することを許さず、貨幣や往来も禁止し、衣服や身なりは琉球風で、姓を許された一部の支配層も一字姓に限定された。宗教上ではユタは弾圧されたが、ノロは否定されず政策的統治の目的で温存されている。

近代の精神史：「黒糖地獄」とヤンチュ（家人）

薩摩藩の奄美の人々への厳しい抑圧、過酷な労働環境など、強権的でゆとりを欠いた島政の展開と関連して、奄美では災害や飢饉が多発した。この時期の飢饉について、「徳之島前録帳」の記録には、宝暦５（１７５５）年の餓死者は３０００人を超し、同12、13年の飢饉、明和３（１７６６）年の凶作、同６年の台風・高波の被害による飢餓、同7年の害虫発生、安永元年の熱病流行による１７００人余の死亡など、列挙にいとまがないほどの記録がある。

この頃の奄美は「黒糖地獄」と呼ばれ、島民にとって重く辛い時代であった。年貢が払えず借財を抱えた者は債務奴隷として豪族に身を売り、この隷属者は「ヤンチュ（家人）」と呼ばれた。ヤンチュは奄美独特の階層制度である。一度ヤンチュになると終身ヤンチュとなり、その子どもも終身ヤンチュの身分から逃れることはできないとされていた。幕末の頃には、総人口に占めるヤンチュの割合は、奄美大島で二割から三割、あるいは三割から四割であったともいわれている。奄美に伝わる島唄は、彼らが仕事を終わった後に口ずさんだものが始まりとされている。

薩摩藩は、奄美から絞り取った黒糖によって借金を次々返済し、１８４８年には２５０万両の金がたまり、実に収益の97％が奄美の黒糖で占められていたことが明らかにされている。本土では名君とされた島津斉彬は、黒糖の惣買入制を１８５３年には沖永良部島まで広げ、奄美での搾取を強めていく。

奄美と西郷隆盛

奄美の近代にはたびたび西郷隆盛が登場する。西郷隆盛は島津斉彬に仕えるが、1856年大老井伊直弼との政争に敗れ、奄美大島へ島流しになる。そこで、奄美大島龍郷町の豪族の娘、愛加那《アイカナ》と結婚し、三年間を過ごす。

二人の間には菊次郎と菊草という一男一女が生まれている。西郷は1862年に許されて帰藩し、二人の子どもは西郷家に引き取られるが、愛加那は島妻制度により島に一人残ることになる。愛加那は二人の子どもから引き離され、終生、子どもと暮らすことはできなったという悲劇の物語がある。

一方、帰藩した西郷隆盛は、島津久光の逆鱗に触れて半年後、今度は沖永良部島に流され、そこで一年七カ月の牢生活を送る。沖永良部島の牢生活では、人々に学問を教え、自身も座右の銘となる「言志録」を読みふけるなど、「人間的に深みを増した」と言われている。座敷牢から地元の若者に学問を教え、西郷の教えは島の教育、文化に大きな影響を与えたとされる。

今日、沖永良部の特産物であるエラブユリは世界各国に輸出され、東部地区（和泊町）で多くの篤農家を輩出している。その要因には流島された西郷隆盛が座敷牢から若者たちに学問や政治、道徳や倫理観を教え、それが島の人々の自立へとつながる勤勉性、倹約性、貯蓄性の気風を培ったとされる。西郷は沖永良部島から帰藩が許され、その直後、廃藩置県により薩摩藩は鹿児島県と改められる。

しかし、鹿児島県は明治の新政府が出した黒糖の自由売買を認めた通達を奄美の人々には伝えず、奄美の人々は新政府になっても安値で黒糖を買い上げられ、高値で生活物資を買わされる状態が続いていた。西郷はそうした支配構造に関与した人物とされている。

2　奄美の人々の抵抗史

薩摩藩は２６０年の間、奄美の人々を権力で威圧し搾取し、黍《キビ》作一本を強制してきた。厳しい藩政のもとで、前述したように、徳之島では３０００人に上る餓死者が出るなど悲惨な状況が続く。しかしながら、これに抗し、人々は立ち上がっている。

三木靖は、「近世　島民の自給的生業と島津藩政」[5]の中で、「特筆、大書すべきは他の地域にはみられぬような島津藩への抵抗運動が、具体的な形をとって現れたことであろう」と記している。奄美の人々の我慢の限界を超えた、抵抗の歴史が浮かび上がってくるのである。これらの抵抗の歴史を見ていこう。

１７３４年には、奄美大島において代官排斥運動が起こり、つづいて30年代後半では、徳之島の伊仙町検福での越訴、島民逃散が起こっている。これらは、「自給的生産体制が藩権力によって破壊され、黍作一本への島民の根強い反対の気持ちが示されたもの」とされ、19世紀の農民闘争への導火線とみられている。

19世紀になると、薩摩藩の権力によって露骨極まりない搾取体制「惣買入」という制度が実施される。これは、島民に黍の一定量の耕作を強制し、一定量以上の砂糖を製造させたうえで、一切の売買や消費を禁じる内容であった。奄美の実情を一切無視して、藩庫を潤すための財政改革の一環として実施されたものである。

このような藩権力の一方的な強権発動に対し、１８１６年には、徳之島の母間で一揆が勃発している。続いて、１８３３年には、奄美大島の猿化の一揆、１８６４年には、徳之島の犬田布の一揆があげられる。これらに対し島民は決起し、薩摩藩は未曾有の島民の攻撃を受けることとなる。

島民の行動は、島民が主体性を失ったのではないことを示すものと評されている。例えば、島民は黍の強制に逆らって密かに水田地や畑を維持する努力を捨てていなかったことや、彼らは実力を行使して闘うことを辞さなかったことなどをあげている。

「母間騒動」にみる受け継がれるアイデンティティ

前述した徳之島母間の一揆は、「母《ボ》間《マ》騒《ソウ》動《ドウ》」とも言われ、それは、母間村の人々が隣の轟木村に持っていた田地に対し、島役人が不当に高い供出米（村への臨時の負担米）を要求したことに発する。これに対し、当時の母間の本掟（区長）は、筋を通して抗議談判する。だが聞き入れられずに、同年５月に亀津の代官所に直訴するも「筋違いの訴え」として、即日入牢させられる。これに激昂した母間村の人々６３０人は、６月９日、鉄砲・竹やり・魚突きなどを持って代官所を襲って本掟（区長）を救出する。翌10日夜、本掟を先頭に、村人15人が鹿児島の藩庁に直訴すべく板付け舟で出帆し、重罪覚悟の決死行に出る。しかしその裁定は、入牢３年が下り、６人は無罪で帰島。８人は遠島、残る１人は獄死したとされる。

しかしながら、この事件を後世の人は忘れてはいなかった。この事件は、1816（文化13）年に「公権力の不条理」に抵抗して村人が蜂起した歴史的事件として、200年後、徳之島町母間地区の住民組織「母間校区振興会」によって、「母間騒動の記念碑」が建てられた。

除幕式であいさつした地元の会長は、地元史観も交え、「不正を正す大義のために闘った先人たちを称えるのが目的。我々のアイデンティティの源の『母間正直・母間魂』は15人の烈士からきていることを知って欲しい」と述べた。母間小学校校長も、「児童ら学校に息づく母間正直・母間魂の精神を今後も受け継ぎたい」と述べている。[6]

悲惨な過去の歴史の真実は、未来の人々によって勇敢な行動として称えられ、受け継がれ、未来に向かって地元の人々の生きる指針となっているのである。

明治の精神史：ヤンチュ解放運動

1869（明治2）年になっても、同4年の廃藩置県後においても、奄美では一切の改正布達などが遅れ、久しく新政の恩恵を受けることができなかった。これは鹿児島県が中央政府の命令を隠して島民に示さず、奄美を以前と同じように扱い、奄美の人々に新制度の権利を与えなかったからとされる。これに抗して、明治の前半期、長らく苦しめられていた束縛からの解放を求めた社会運動が起きる。それは、「全島沸騰」するほどの盛り上がり方で、一種の世直し的「勝手（自由）世騒動」と名づけられている

この運動の一つは、ヤンチュ解放運動である。1871（明治4）年に奴隷解放令が出されたものの、

奄美ではその後も旧態以前の状態が続いていた。奄美では明治11年から解放運動が起こり、家人の完全な開放は明治の末期である。

黒糖勝手（自由）売買運動

もう一つは黒糖勝手（自由）売買運動である。明治政府は、1873（明治6）年に黒糖の自由売買を認める「勝手売買」の通達を出している。しかし、鹿児島県は藩政時代と同様に奄美の黒糖は鹿児島県が独占する仕組みを作っていた。

このような藩政時代の支配に抗し戦ったのは、名瀬出身の丸田南里であった。彼は、1875（明治8）年に、西洋の進んだ経済事情を見聞して10年ぶりに帰郷する。しかし、目の当たりにしたのは封建の世と変わらない重税にあえぐ哀れな同胞の姿だった。丸田は、県の保護下にある鹿児島の商人を中心とする大島商会の砂糖売買独占に反対して、黒糖勝手売買運動（勝手世騒動）を起こし、奄美の解放に貢献する。[7]

独立経済とソテツ地獄

1888（明治21）年から鹿児島県は、「新たな島差別」というべき「独立経済（奄美独立予算）」施策を昭和15年までの53年間にわたってとり続けることになる。[8] 独立経済は、「島差別」＝「切り捨て」の論理とされる。この政策は、鹿児島は内地の産業基盤整備を最重要視し、奄美の産業基盤整備を無視するという内容であった。

つまり、鹿児島本土での公共事業や産業基盤の整備に莫大な資金を必要とし、よけいな産業基盤の整備にまで手が回らないという理由で、奄美は自給自足的な小規模財政運営を強いられる。結果、本土と奄美の経済格差は更に広がっていくこととなる。

1901（明治34）年に成立した砂糖消費税法によって、奄美の貧困化はさらに進み、島民は身近にあるソテツの実を唯一の食料として、その日その日の飢えをしのぐほかない状況にあった。この状態は、大正末期から昭和初期にかけて「ソテツ地獄」と称され、東北地方以上の疲弊を余儀なくされた。ソテツの実には毒があり、食し方を間違うと悲惨な死亡事故につながる。死者を出した悲劇が報道されている。

このような状況の中で島民は立ち上がり、砂糖消費税全廃の懇願は昭和3年になって実ることとなる。しかし、経済不況脱出の効果までには至らず、この状況を見かねた国と県は昭和4年度から「大島郡振興計画」を策定するが、予算の実現率は低く、同15年には振興計画の終了とともに救済策は中途で終了する。そして、日本は太平洋戦時下に入っていく。

明治の新政府になっても、そして、新たに大正、昭和と年号は変わっても、奄美の人々にとっては、不条理にも困難な時代が続いていったのである。

奄美の近世と人々の抵抗

奄美の近世の歴史を象徴的に映し出す一つとして、奄美でのカトリック教会の多さが指摘される。黒糖の自由売買も認められず不当な圧力を受けていた奄美の人々に、新しい理念・考え方の必要性を痛感した奄美出身の検事岡程良は、「万民平等」という西洋思想を奄美の人々の精神的支柱として広げようと、本土のキリスト教各派に布教を要請する。仏教などの影響もなかったことから、キリスト教は砂に雨水がしみこむように人々はカトリックに関心を寄せ、１９２３年には信者数４０００人にものぼっていた。

その後、大正から昭和にかけて軍部は、西洋思想への警戒からカトリック弾圧を行う。抵抗する信者に対し、軍部に加担して激しい排撃運動を行う住民たちの様子は、小坂井澄の『悲しみのマリアの島』に描かれている。

このような軍部に加担した住民について、その背後に過剰なまでに「日本人」になろうとした意識が働いたのではないか、また、「純粋日本」としての自信喪失とその裏返しの「日本人化」への近代奄美人の葛藤とみる。

「日本人」になることに必死だった人々の思いは、奄美独特の一字姓を二字姓に改姓する動きにも表れている。１９２３年の関東大震災をきっかけに、東京の奄美出身の青年を中心に改姓運動が始まった。一字姓では朝鮮人や中国人に間違えられるという理由もあった。

他方で、近世社会を通じ、島民が主体性を失ったのは誤りであったとされている。その根拠に、富山県の米騒動が口火となった全国的な暴動の勃発は、南九州ではただ一カ所、奄美大島の住用村で起こったこと、また、徳之島の松原鉱山で賃金ストライキが発生していること、あるいは、大正13年には、アナキスト大杉栄の一周忌が奄美大島の瀬戸内町古仁屋で行われ、地元の若者らによって記念碑の建立がされたことなどがあげられる。

交通機関の未発達の時代に、鹿児島県本土では全くみられないにもかかわらず、このような一揆が奄美で次々に勃発していたのである。

3　占領下の人々の抵抗史

復帰運動に示した人々の団結

１９４１（昭和16）年、世界大戦に突入し奄美は海上交通の要地となっていた。奄美は１９４６（昭和21）年2月2日の行政分離宣言によって、８年間、米軍による直接占領下になる。この間人々は、米軍政府による低賃金政策などにより厳しい統治生活を強いられ、困窮を極める。特に教育面は悲惨な状況で、これに抗し島民は団結する。

１９５１（昭和26）年には、奄美大島日本復帰協議会（会長泉芳朗）が結成される。奄美の全市町村で実施された満14歳以上の住民による復帰祈願署名者は13万９３４８人に達した。署名率は99・８％を記録し、いかに奄美の人々が祖国日本への領土復帰を熱望しているかが実証されるものであった。この署名の推進には高校生が大きな力を発揮した。授業後、積極的に署名活動に参加し、主体的に復帰運動の一翼を担ったのである。復帰協主催の「群民大会」は悲願達成まで27回開催された。日本復帰の歌も作られ、祖国復帰祈願への民衆の思いが託されていく。併せて島内の出身者を中心にした郷友会《ゴウユウカイ》組織のある東京、関西、鹿児島でも復帰運動が展開され、奄美内外で復帰運動が盛り上がっていく。８月１日には、復帰協の泉芳朗会長自らが身をもって復帰切望を示したいと、１２０時間の断食祈願に突入する。

このことは全島民の共感を呼び、全島各地で、断食祈願が行われた。このような全島一丸となった祖国復帰運動の結果、1953（昭和28）年8月8日、アメリカのダレス国務長官が奄美群島を日本に返還することを発表した。同年12月25日午前零時を期して、奄美の島々は日本に復帰した。島民の非暴力民族運動の勝利の象徴とされている。

奄美の人々の喜び

各家々では日の丸の旗を掲げた。人々は「ダレス声明」を心から喜び、日の丸の旗と提灯行列が町や村を埋め、万歳の声が高らかにわきおこった、と報道されている。こうして、奄美は沖縄より19年早く念願の日本復帰を果たすことになった。

1952（昭和27）年9月30日の新聞では、復帰後は「奄美県」の可能性も報じられたが、日本返還で奄美が選んだのは、長年苦渋を強いられた鹿児島県への復帰であった。

占領下での奄美の人々の極貧生活は、日本復帰直後のエンゲル係数が83％だったということにも表れている。[9] 日本経済の伸長が著しいなか、奄美群民一人当たりの所得は全国平均の48％、県平均の79％という状況であった。食べるものにも事欠く中で、支え合いの中で耐え忍んできたという歴史が奄美にはある。

それゆえ、奄美の人々は、本土復帰の日を忘れはしない。復帰運動は語り継がれ、毎年記念する集会がもたれている。超高齢者は青・壮年期を米軍直轄下で辛酸な生活苦を体験した世代でもある。

奄美ルネッサンス

日本本土から行政分離された8年間、奄美はかつてないほどのエネルギーが島に湧き出した時代でもあった。この時代は、「あかつち文化」あるいは「奄美ルネッサンス」と呼ばれ、復帰運動は文化興しや自分興しを土台に発展し、奄美の人々が一番エネルギーを持った時代とも言われている。[10]

本土との文化・娯楽が隔絶され、閉塞された社会状況の中で、1946年には同人誌『あかつち』をはじめ、奄美青年団の機関紙『奄美青年』、文化雑誌『自由』、名瀬市婦人会文化部機関紙「婦人会報』などが次々に発刊され、島民にとって、文学や社会科学、経済等の勉学の機会の場が実現したのであった。

復帰下での新聞社の創設

占領下での言論統制や食糧難、物不足など、困難の極みの中で、奄美では二つの新聞社が創設されている。一つは、南海日日新聞社で、1946（昭和21）年に、「南の海の日輪たらんとの志を掲げ、郷土の文化の向上に力を尽くす」を掲げて創設された。もう一つは、奄美タイムス（現奄美新聞社、旧大島新聞）である。

奄美の地元報道機関として、「南海日日新聞」、「奄美タイムス（現奄美新聞）」の二社は、文化を断ち切られた人々にむさぼり読まれ、祖国の実情を知る唯一の光とされた。また、両新聞社が主催する芸能祭や音楽コンクール、「奄美文化協会」などの劇団も誕生した。

本土からの物資が途絶え、経済的には苦しい占領下ではあったが、文化は人々に癒しと励ましを分かち与え、復帰運動の原動力を担ったとされる。

復帰運動に貢献した地域婦人会

奄美の地域婦人会もまた、本土復帰運動に積極的に関わってきた。地域婦人会の地域社会に果たした役割は大きい。彼女らは、復帰後もシマの生活改善運動にかかわり、シマの伝統行事から高齢化、過疎化問題、環境問題、子育て問題など、地域全般の問題とつながって活躍し、地域社会に不可欠な位置を占めてきた。地域婦人会はシマごとに組織され、地域での「母親」的役割として家庭とシマをつなぐ重要な接点となっていた。

薩摩藩の支配下に置かれ、現実世界では女性の地位は低かったものの、奄美の女性は「とにかく働き者」である。家事、育児はもちろん、農業、サトウキビ、酪農や果樹に従事し、そして大島紬の織り子として、一家の家計を支えてきた。奄美の女性の生活について描写した長田須磨の『奄美女性誌』では、奄美の女性にとって、「機織は遊びであり、仕事であり、生活の一部であった」と記されている。

筆者の調査した奄美の超高齢の女性たちもほとんどが大島紬に従事し、機織りしながら苦労して子育てをしたことを話してくれた。その頃を思い出す彼女らの表情は誇らしげである。奄美の百寿者の、94％は女性（146人中男性は8人）である。彼女たちは若い頃の過酷で厳しい生活の中で丈夫な体を作り、今日の長寿を得て暮らしているのである。

占領下の教育

占領下の奄美でも、終戦とともに児童・生徒の通学が開始されたが、学用品や教科書が不足がちで、劣悪な教育環境にあった。貧しいゆえに父母の仕事を手伝わないと食べていけないこともあって、13%の子どもが義務教育を受けられない無就学の状態にあった。

このような状況を見かね、１９４８年には二人の小学校教諭が本土の教育教材収集のために辞表を出して密航し、約三カ月後に二人は目的を果たし帰島する。しかし、教職には戻れなかった。また奄美では、高校を卒業しても上級学校に行くことができない状況にもあった。復帰運動は、このような窮状のなか、学校の先生も、高校生も一丸となって取り組まれた。[11]

特に、奄美の人々にとっての教育は、歴史的に蓄積された貧困を脱却する最も確実な方法として認識されている。「最も確実な最高最大の成功をおさめることのできる最良の方法は、教育を受け学問に励むことであるから、貧しい時は何より教育を受けるが良い」に代表される。[12] 少しでも進学の可能性があれば、家庭を挙げてその子の進学に奉仕する姿勢が共通してある。高校を卒業しても島外の上級学校に進学できない占領下では、親にとっても子どもにとっても、未来が描けない閉ざされた状況にあったのである。

4 復帰後の〝奄振〟と人々の暮らし

復帰当時の奄美は、甚大な戦災とそれに引き続く行政分離で、政情不安に晒されていた。復帰の翌年1954年6月から国の支援による振興開発事業として、「奄美群島振興特別措置法」(5年の時限立法「奄振」と略)が制定され、「急速な復興」「民意の安定」「産業・生活基盤の整備」「本土なみ」「格差是正」を目標に、「基盤整備」中心の公共事業がすすめられた。以降、名称を変えながら事業延長を繰り返している。

しかしながら、「奄振」事業は「本土なみ」を掲げて進行するが、本土に目を向けるのに夢中で地元の良さを失った、奄美群島挙げての開発事業であるという指摘がある。[13] 実に、全計画の95%が産業・社会基盤の整備であった。復帰後半世紀の間に、奄振事業によって奄美の自然は深刻なダメージを受け、無駄な公共事業の予算は本土に流出し、結果、奄美は利権で食い物にされる島になったと嘆かれている。

一方で、奄振開発アンケート結果では、奄美群島のイメージについて地元住民の約6割が「(10年前と比べて)良くなっている」と回答している。群島外に転出予定の高校生等の75%は将来島で暮らすことを希望しており、その割合は5年前より10ポイント程度増加しているという。これまでの振興開発の成果に対する一定の評価の反映という見方もある。[14]

高校卒業後は、島に大学や就職先がないことで島を出ざるを得ないが、将来島で暮らすことを望む背景には、ハード整備はもちろん、幼い頃から親しんできた祭りや伝統行事、温かい人々に包まれたシマの伝統的コミュニティへの魅力を感じていたことが伺われる。

復帰後の暮らしのエネルギー

奄美の人々は終戦後もまた、アメリカ軍の統治という外部権力によって翻弄され、辛酸な生活、希望をもたらす教育を受ける機会も閉ざされていた。しかし、人々は孤立した環境の中でも、創意工夫しながら独自の文化を花開かせている。

人々は抑圧された状態の中でも楽しみを見つけ、みんなで享受する。そのエネルギーは、過去から積み上げられた生きる技が次の世代に伝わっている証でもある。人々の祖国復帰という一致団結した運動で、祖国復帰を果たしたそのエネルギーは、奄美ゆえの力、奄美の歴史から獲得され堆積されてきた、奄美の人々の生きる技の形成（集合的無意識）とも理解できるのである。[15]

一方で、本土復帰後も奄美の生活水準と本土との格差は大きく、人々の暮らしはあまり改善されなかった。復帰した時（昭和28年）の郡民所得は対国民所得の28％で、10年後の38年は41％、昭和46年でも50％とかけ離れた水準であった。本土並みを目指して奄美復興・振興開発事業が展開していくが、本来の「開発」とは、人間の福祉の実現のためのものである。産業・経済の開発・進行はあくまでもその手段である。しかしながら、開発が目的化していき、多くの自然が失われた一方で、所得格差は解消されてはいない。

奄美に見る独立・対等

奄美の人々は過酷な歴史に翻弄され食料や生活物資も事欠くなかで、どのような知恵を出しあって暮らしてきたのだろうか。その答えの一つに、「一重一瓶」慣行がある。集落内の生活の多くの側面に一貫してみられるこの価値体系は、奄美の人々の暮らし方、土地所有、様々な宴の際、労働組織形態においても、一つの価値体系として統合されている。

また、奄美の独立性、対等性は世帯構成にも表れている。日本復帰後の昭和30〜31年に初めて行われた九学会調査[16]は、奄美の社会人類学的研究の嚆矢《コウシ》とされるものである。その調査でも、奄美は従来の日本農村の類型（「同族型」と「組型」）のいずれにも属さない社会であることが明らかにされている。例えば、土地所有においても階層的な所有は行われず、平均的に細分化されていること、共同労働の組織はハロウジと呼ばれる双性親族の範囲内をベースに、友人関係や近隣関係を含め、そのつど当事者の主体的選択によって形成されるなど、個々の世帯・個人の独立対等性が指摘されている。

世帯規模においても、一般的に農業世帯の比率が50％を超える地域では、直系家族を主とする大家族形態が多く見られる。一方、総世帯数に占める農業世帯数が10％以下の地域では、核家族を主にする家族形態が圧倒的に多いとされる。

ところが奄美は例外的で、奄美の総世帯の75％が農業に従事しているにもかかわらず、家族形態では直系家族は著しく少なく、核家族にみられる縮小指向型に近い傾向にあった。この傾向は、昭和50年代の大和村集落の調査からも、87世帯中75世帯（86％）は一世代または二世代の小家族であったことが明らかにされている。また、60歳以上の高齢者世帯でも、7人は集落内に別世帯を構えるこがいるが、積極的に同居しようとする意図は伺えなかったと記述されている。

奄美では、「親子の同居・別居」は制度化されたものでなく、様々な条件の中で主体的選択により小家族形態になっている。ただし、世帯が独立的であるが孤立でもなく、近隣に住む子どもや親族、友人の世帯との対等性に基づく互助的連帯がある。現在でも、条件が許せば親子は独立して別居志向が強い。このことは、筆者の奄美の超高齢者調査からも明らかにされている。しかし、日常的交流は濃密である。

家意識の強弱

奄美の家族は、伝統的に双性家族的傾向[17]が強いとされ、相続財産や名声などの先祖の偉業に価値を置く家族連続性に対する志向は弱い。奄美では祖先祭儀の実行が大切とされ、親の跡を取る人(ウヤワズレといわれる)は、親の地位財産の相続継承という意味でなく、親の面倒をみる人、親の死後墓や位牌を祀る人の意味で使われ、子どものうち、最も向いている者がなる。

奄美における家族連続性は、祖先祭祠の側面で強調され、位牌祭祠における三十三年回忌の弔いあげで、死者の霊は一般的祖霊(カミ)となり個性は喪失する。一方、三十三回忌の祭祠を受けられなかった場合は、霊は行き場がなくなって集落の中を飛びまわるとされる。したがって奄美の人々は、自ら

【コラム】「一重一瓶《イチジュウイチビン》」

一重は重箱に入れた料理、一瓶は焼酎をいれたビンをさす。この慣行は、本家が主催して分家が参集するといった上下的、主従的価値観と異なり、参加する人の独立性、対等性を象徴するものとみることができる。現在においても、高齢化が進み宴の様式は変化しているが、参加費(1000円程度)で、婦人会が公民館で食事を用意する。

の死後誰に霊を拝んでもらうかが重大事な関心ごととなる。奄美では、自己に隣接する一世代上と一世代下位にわたる連続性への志向は強いものがある。

歴史から培われた精神性と文化

植木浩は文化について、「人間の生きる歓びを支え、人生に生きる意味を与えてくれる源泉」であり、「文化は社会の人々の〝きずな〟である」と評価している。[18] まさに、伝統文化は世代を超えて築き上げられた、奄美の人々のアイデンティティそのものである。

今日の日本において、経済的豊かさの割には幸福感が高まらないという社会意識を背景に、地域の自然や文化、コミュニティのつながりを再評価・取り戻す機運がでている。

奄美の歴史は、人々の生活文化となって脈々と波打って、精神的癒しとなって立ち現れている。奄美は人々の努力で伝統文化が生き続けてきたのである。

【コラム】暮らしの中の祈り

奄美の人々は生活の中に、ヤホウガナシ（自分の先祖の神様） に感謝するという意識がある。墓は海の向こうのネリヤの神の国に向かって建てられ、自宅から距離的に近いところにある。先祖や神は精神的にも距離的にも近い存在で、毎朝夕２回、また、月２回はお墓参りの習慣がある。亡くなった人の月命日も大切にされる。シマの墓地には大和墓と十字架とが違和感なく混在している。信仰に対しても大らかである。

第2章　奄美の島とシマの伝統文化

1　自然と人々の一体感

奄美には、豊かな山、森、川、海など、美しく貴重な大自然が島の至るところにある。このような太古の自然が保全されてきた要因には、自然との一体感をもったくらしの営みがある。人々は自然の恩恵に感謝し、自然の生態系を大事にしてきたのである。

奄美の地形は大きく二分される。奄

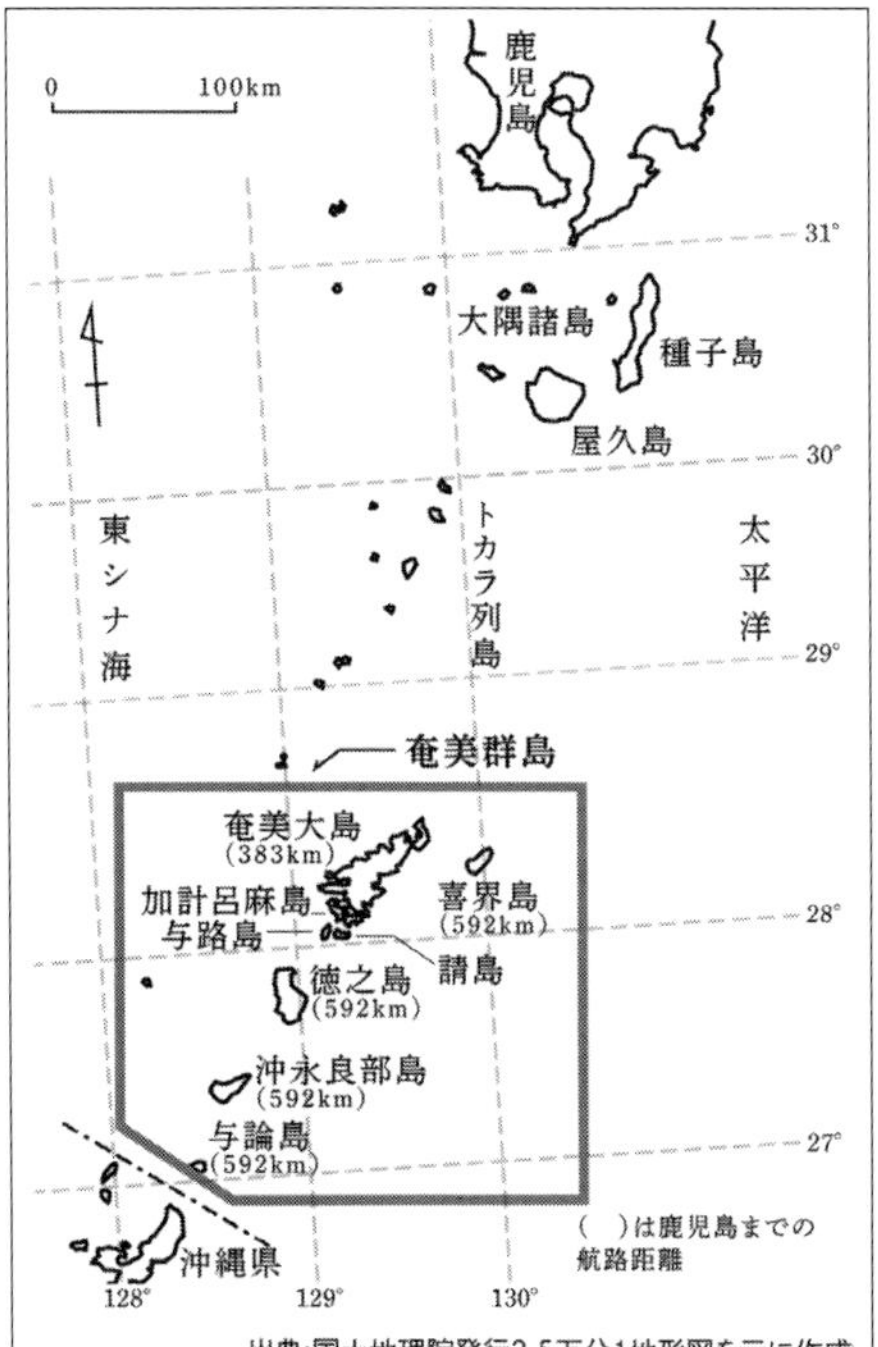

出典:国土地理院発行2.5万分1地形図を元に作成

美大島、加計呂麻島、請島、与路島、徳之島の五島は、主として古成層と火成岩からなる急峻な山陸性の地形である。喜界島、沖永良部島及び与論島の三島は、琉球石灰岩（サンゴ礁）で低平な段丘状の地形である。気候は亜熱帯・海洋性に属し、魚や貝藻類の宝庫となっている。年間平均気温は摂氏21度前後で、鹿児島と比べると3度高く、冬でも7～8度で推移する。

四季を通じ温暖多雨で、多くの森は太古の姿

【コラム】奄美群島の概況

・**位置**―鹿児島県大島郡に属し、離島の中でも特に本土から遠隔の地にある。奄美大島、加計呂麻島、請島、与路島、喜界島、徳之島、沖永良部島及び与論島の８つの有人島がある。

・**人口・気候**―人口は 11 万 0147 人で、39.2％が奄美市に住んでいる。高齢化率（31.3％）は高い（2017）。

・**気候・産業**―亜熱帯の温暖多雨、台風の常襲地である。農業（サトウキビ、果物）、大島紬、黒糖焼酎が主な産業である。

・**歴史**―大和と琉球の狭間にあり、過去には琉球王朝、島津藩など外部から侵略された歴史（終戦後８年間は米軍支配下）がある。

・**所得と暮らし**―第１次産業の比率が高く、郡民所得は県民所得や国民所得より低い。生活保護費率も高い状況にある。しかし海や山、里の自然に恵まれ現物経済が機能し、野菜やおかずの交換など、現金が少なくても暮らせる生活がある。

・**長寿で子宝の島**―長寿地域の目安となる百寿者率（人口 10 万人当たりの 100 歳以上の割合）は 149.35 人。これは、全国１位の島根県の約 1.4 倍、全国平均の 2.6 倍である（2019）。一方で、合計特殊出生率も高い。厚労省の 2008 ～ 2012 年の市町村別では、上位１位に伊仙町（2.81）、２位に徳之島町（2.18）、３位に天城町（2.12）など、30 位内に奄美の８つの町村が占めている。

で保存されている。なかでも、奄美大島にある金作原《キンサクパル》は最も原生的な森林の一つとされる。日本を代表する亜熱帯広葉林として、樹齢130年といわれる天然林のイタジイ・イジュ・タブノキを主要樹林に、珍しいシダ類も多く、シダ・ヒカゲヘゴは高さ10メートルを超えるものもある。

特にイタジイは、奄美の人々の暮らしに昔から関わって、炭焼き用や線路の枕木に使用されたり、実は煮たり炒って食用にされてきた。また、奄美の至るところで見られるソテツも奄美の人々の暮らしに深く結びつき、飢饉の時は種子や幹からでんぷんを取って食用にした。

動植物の宝庫でもあり、鳥類は291種類に及ぶ。天然記念物のアマミノクロウサギは奄美大島と徳之島に生息している、生きた化石とも称される夜行性のウサギである。人も動物も豊かな奄美の森から恩恵を受けてきた。

他方で、美しい自然や豊かな自然には常に脅威がある。台風の常襲地域で、年平均5・2個が接近している。加えて、珊瑚礁で出来た沖永良部島、与論島、喜界島を除いた五島には、人の生命を脅かす毒蛇のハブが生息している。現在でも年間50人近い咬傷患者が発生している。このように、奄美の暮らしには自然の恵みと暴挙、そして日常の暮らしの中に生命の危険が潜んでいる。

2　シマの神と祭り

シマの形状

『名瀬市誌』によると、奄美の古代シマには四つの基本的道具立てがあるとされている。

「第一は、モリ、オデ（御岳）、ウガン（拝ん山）、オボツ山、カグラ山などの呼称をもつ『聖林』で、そこは神が下りると信じられている神聖な場所である。第二に、キユッキョ（清い川）、カンギョ（神ん川）、ミゾリ（身そぎ、水ごりの転）、ヤンゴ（屋ん川）などの呼称を異にする『清めの泉』である。第三に、シマを貫く『神ん道』である。これの上端は聖なる林に発し、海浜に出て海のかなたのネリヤに通じることになる。シマを訪れる海神、天上神を送迎する『神聖な通い路』である。第四に、『祭り庭』で、海神のための浜ウドン（御殿）のあるウドン浜やシマの中にあるミャーという広場等からなり、トネヤ、アシャゲという聖屋がある。シマは、聖林の麓の里から時代とともに海岸の方（金久：かねく）に発展する。……日本で最も濃厚に海神信仰の保たれている」。

以上の古代の痕跡は、今も奄美のシマに多く残っている。シマの山寄りには神聖なカミ山があり、女性神官ノロによって迎えられた神々はカミ山に降り、そこからカミが通るカミ道があり、ミャーと呼ばれるシマの中心祭事を行う広場に通じる。さらに海辺に至り、五穀豊穣をもたらす神の国ネリヤ・カナヤに通じる。

中心の広場には、四本柱で吹き抜けになった祭場（アシャゲ）がある。広場の一番近くにシマの神祭を担当するノロの屋敷がある。また、トネヤという神祭りの際に祭場になる建物がある。ノロの屋敷やトネヤが廃れたシマでも、祭りの際の祈祷場として役割を持つ家がある。今日ではシマの中心に、祭場となる公民館と土俵が移設されている。土俵は神聖な場所として大切にされ、豊年祭や敬老行事での相撲や、八月踊りでは土俵を囲んで踊られる。

自然への祈りの居住空間は、シマの造形となって文化的景観を形成している。その姿が色濃く

残る奄美大島宇検村阿室集落。カミ山の特徴は、頂上に傘の形状になった琉球松の植生である。（グラビア写真②）

シマと暮らし

奄美には、約３００を超えるシマが点在する。多くのシマは前面を海に、三方は険峡な山が迫っている。そのため交通機関が発達していなかった頃は、隣のシマとの交流はなく、人々はシマの中で生まれ結婚し、一生をシマの中で過ごすのが一般的であった。奄美の人々にとって、シマは自分の出自を確認できる唯一の場所であり、生の原点でもある。それゆえ、奄美の人にとってのふるさとは、「島のほんの一点を占めるシマなのである」[19]。

隣のシマとの交流がなかったために、シマ毎に言葉や習俗が異なり、島口（方言）も異なる。八月踊りやリズムも異なるシマの唄が生まれた。

奄美の人々は、シマを離れた後にも自分のシマに対する熱い思いを持つ。シマを出て他所で暮らす出身者の組織である郷友会の多くはシマ単位に結集されている。高齢化や過疎化の進むふるさとのシマへの伝統行事の参加や担い手だけでなく、共同墓地・記念碑の建立の際の寄付など、何かある時には大きな力となって働いている。奄美には、現代版の結い・知識結が機能している。

人々の精神性と祈り

人々は外部勢力からの支配や収奪、差別を受け、貧窮の極にあっても自然に対する畏怖と畏敬を忘れることはなく、自然の循環を大切に豊かな自然を守ってきた。そこには、人間は自然に生かされているという認識から、森・川・海との一体感を持った生活が継続され、そのことが独自の豊かな文化を創り伝えてきた。

人々は月や太陽までを含めた宇宙観を持ち、特に水の立体的な循環を大事にしてきた。奄美のユタ神の親ユタである亜世知照信氏は、「石から砂の浜までぜ〜んぶ水がなくちゃいかん」、「神に頭を下げるのを忘れても、水や太陽に頭を下げることを忘れるなっちゅうのが奄美」と繰り返し語っている。そのことを表す言葉に、「水や山おかげ、人(チュ)や世間おかげ」ということわざがある。[20] シマの人々は、互いに助け合うノウハウを蓄積し、祈りとともにある居住空間を大切につくりあげてきたのである。

また奄美は、クリスチャンが多い島でもある。集落の墓地には仏教形式の大和墓と十字架が違和感なく混在している。写真は徳之島母間花時名《ケドキナ》集落の墓地である。(写真③)

近年、高齢化と過疎化が進行するなかで先祖のお墓を守る取り組みとして、合同墓に移行する動きがある。将来、お参りに来なくなったお墓をどうするかの危機感が人々の中に共有されている。先例を作ったのが宇検村（屋鈍）の共同墓である。共同墓への意向は強い。「死んでも誰かがお参りしてくれるので安心」という。都会のマンション形式のお墓と違って、隣には一緒に生きてきた人がともに眠っているという安心感がある。

ネリヤカナヤと聖なる水

奄美の人々の精神性は、ネリヤカナヤへの信仰に象徴される。そこは死者の魂の行く国であり、人々に富をもたらす国でもあるとされる。ネリヤカナヤ信仰は、祖霊祭と豊年祭が一体化した伝統行事となっている。

例えば、徳之島町井之川集落の伝統行事である「夏目踊り《ナツメオド》」では、早朝、親族一同で先祖のお墓参りをしたあと、集落全体を一軒一軒練り歩く。太鼓を叩いて歌って踊り、海の向こうのネリヤの国の神様に豊穣祈願をする。

龍郷町秋名集落で行われる「平瀬マンカイ」は、東シナ海に面した海でネリヤの国から稲霊を招く行事である。共に、国の重要無形民俗文化財に指定されている。

徳之島町尾母《オボ》集落では、伝統行事「アキムチ（秋餅）」が行われる。この行事は「イッサンボー（福の神）」というわら人形を先頭に、集落の辻々を回って、歌い踊って幸福を運ぶ。家の表庭での訪問祝歌、家を出る時のお礼歌を歌って餅貰いをする。**（写真：カバー裏）**

子ども達も参加し、各家庭を回って「どんどん節」を歌い踊る、伝統行事が引き継がれている。**（写真⑨）**

また、「聖なる水」は、今でも奄美の集落の女性たちに大切にされ、女性たちは生まれた時にシマの聖なる泉から汲まれた水を大切にする。これは女性の生理に根差した健康祈願でもあるとされる。コップの水のなかに三つの石を入れて、その水を大切にする。水は、昔は毎日泉まで汲みに行っていた。現在では水道水に代わり、泉の水と交換するのは1か月毎と語ってくれた。毎年12月末になると、女性たちは健康を祈願するためにそれぞれの泉の水場に祈りに行く。

ハレとケ

奄美のシマの暮らしには、「ハレ」と、「ケ」が一年の営みのリズムとして繰り返され、生活を楽しむ工夫となって伝統行事が息づいている。ハレは晴れ着などの時のハレで、非日常の特別の時を意味し、ケは、日常や普段を意味する。祭りや年中行事は、ハレであり、日常生活と区分される。

こうしたハレとケの概念に対立するものとして、「ケガレ」がある。ケが農業を可能にするエネルギーととらえ、そのエネルギーが枯渇する状態をケガレだとする。ケガレを回復するのがハレの儀式であり、ケからケガレへ、ケガレからハレへ、ハレからケというように循環する。祭りや年中行事は、日常生活のエネルギーが減少した状態から、活力が充満した状態に回復するために執行されるものと解釈されている。

また、ハレとケは、欧米のように聖俗二元論で明確に区別して捉えられるものでもない。ケの空間がハレの空間に転換するなど、特定の空間を互いにすみ分け、イレカワリの原理で、ハレのなかにケ、ケの中にハレが内在する。奄美のカミ道がそうである。

ノロとユタ

奄美の人々の精神文化を理解する上で、ノロとユタの存在の重要性が指摘される。ノロは琉球王朝時代に、王府から辞令書（インバン）で任命され、奄美の各集落で神々や先祖などを祀る女性神官として、政治的・宗教的権威を持ってきた。しかし、ノロは世襲制のため高齢化で減少し、現在では奄美でのノロの神祭は姿を消し、一部の地域で残っているのみである。

一方ユタは、ノロと異なり個人的事情から神を拝む人になる。例えば、突然、何らかの霊的存在に憑かれた状態（カンガカリ）となる巫病《フビョウ》を経て、次第に霊的能力を備えるようになる。ユタは女性が多いが男性のユタもいる。個人の禍福吉凶を占ったり、死者の意思を遺族に伝えたりする、民間のシャーマン的機能を持つ霊能者である。

山下欣一は「奄美のシャーマニズム」の冒頭で、「奄美のユタの歴史は悲しい。それは偏見と侮蔑と、はたまた、シマの人々の熱烈な信仰と支持の狭間で、穏便な存在を取りながら、ひそやかに受け継がれた歴史がある。奄美の人々は教養の如何に拘わらず、生活の実感としてユタの存在を理解している。それは、深くシマの人々の精神生活を基底する存在だからである」と記している。

超高齢者とスピリチュアリティ

奄美のシマのゆったりとした時間の流れは、超高齢者のスローな暮らしに適合している。過ぎてきた過去、これからいく世界が、現在の暮らしの中でゆっくりと確認できる。このような時の流れが、超高齢者の大らかな精神性を育んでいるのかもしれない。

稲野慎は、『揺れる奄美、その光と陰』の中で奄美のシマを小宇宙と表現し、奄美の人々の生活にはスピリチュアルな精神世界があるという。それは、「奄美の風土や日常生活に根ざした精神的な宇宙のようなもので、死に対する恐怖から解き放ち、精神的・肉体的な安定をもたらす効果がある」と記している。そして、「有」でも「無」でもない、「空間」も「時間」もない、「自愛に満ちた絶対的なもの」に溶け込むような、深遠な意識の状態をスピリチュアリティと指すと論じている。

著者は、奄美のスピリチュアリティを、「歴史・風土・習慣、日常生活の中に織り込まれた一体感、または人々の精神世界、超越観を軸とした生き方」と定義する。超高齢者の精神次元には、死を身近かに感じる世界が自然の営みと一体化し、濃密なスピリチュアリティを形成しているのだと感じる。

3　シマの年中行事の実際

奄美の行事は、農耕文化を中心とした収穫・豊年祭、長寿や歳を祝う通過儀礼・行事、盆の祖霊行事などが、シマ毎に少しずつ形を変えながら現在も行われている。

行事の際に歌われる島唄は、歴史でみたように多くのヤンチュがいた時代の、厳しい仕事の後に歌った慰みことから始まったとされる。人々は薩摩藩の圧政と抑圧の中で、厳しい農作業に欠かせないエネルギーの源を年中行事に見出し、生きるエネルギーとして蓄えてきたのである。

一般に、所定の祭日に行われる儀式は年中行事と呼ばれる。行事は祖霊祭祀、農耕儀式、跋浄《フツジョウ》の三つの区分から成り立つ。跋浄は、これら二つの行事に先立って行われるので、大きくは祖霊祭祀、農耕儀式の二つに分けられる。祖霊祭祀は正月と盆に代表され、農耕儀式は、春先に里に下って農耕を守り続け、秋の終りに山に帰る田の神を稲作の折り目の時期を待って祈るものとされる。

しかし奄美の伝統行事の特徴は、お正月と盆を主軸にした行事と、三八月（ミハチガツ）と呼ばれる農耕行事に関連した行事の二つに分けられ、いずれも祖霊祭祀と農耕儀式が一体となっている。以下、筆者が取材した行事を中心に記述する。

子どもの成長を祝う「七草」の行事

1月7日は七草粥の日である。この日、奄美の各集落では、数え七歳になった子どもを祝う「七草」の行事がある。七歳になった子どもが親類七軒を回って、雑煮を貰い、祖霊に供えて成長を祈願し報告する。家では親戚が集まって盛大なお祝いをする。七草粥を食べることで、神の子から人間の子になるとされている。

この習慣は「七つまでは神のうち」で、七つまでは産神様が守ってくれるという謂《イワ》れからきている。以前は、子どもは亡くなりやすかったので、死んでも人間の死とみなさなかった。一種の緩衝地帯を設けて、悲しみを軽減する知恵ともされる。七草の行事は、奄美では広く行われている。

シマの成人式

奄美では、行政の主催する成人式とは別に、各シマでも成人のお祝いをする。集まって食事を共にする。かつての小・中学校の先生たちも教え子の成人とあって参加する。

成人式の宴は、「一重一瓶」である。多額の金品のお祝いはしない。龍郷町円集落では婦人会が会費で食事つくりを担当していた。「単独だとそれぞれにお金がいるけど、合同だから1000円でみんなのお祝いができる」と参加者は話していた。現金収入が少ない地域の生活の知恵でもあろう。

秋名集落の成人式では、「今年の成人の子の親は接待係、来年成人の子の親は受付を担当する」というルールが決められていた。宴は島唄で始まり最後は八月踊りで盛り上がる。婦人会の方々の作った手料理が並ぶ。成人式の着物はこの地の伝統の大島紬の振袖が多い。

年の祝い

「年の祝い」は、その年と同じ干支に生まれた人のお祝いで、正月最初の干支の日に祝う。最近は正月2日か3日に祝うところが多い。特にシマで盛大に行われるのは61歳からである。徳之島では、61歳以上は「成長祝い（フデュウェ）」と呼んで盛大にする。近年ではシマ・集落合同であるが、戦前は各個人宅で行っていた。

年の祝いの祝い歌には、「61歳は若年のお祝い、73歳は中年のお祝い、85歳で百歳を願おう」という歌がある。特に88歳のお祝いは旧暦の8月8日に行われ、長寿にあやかってその人の髪を数本、5センチほど切り、祝いの盃とともに参列者全員に白い紙に入れて分ける習慣がある。

小宿集落の事例（写真④）

調査で伺った2013年の干支は巳で、最初の干支の日が1月3日ということで、その日に行われていた。住民約600人のうち約1／3にあたる200人が参加していた。この集落では、61歳以上の干支の人が招待される。その年の招待者の人数が多いほどお祝いにかけつける家族が増え、参加者は多くなる仕組みである。ここでも参加費は会費制で、婦人会の作った料理が出されていた。「一重一瓶」がみられた。この日だけは小学校の講堂でお酒が許される。

舞台では、島唄や八月踊りが披露されていた。この会場の参加者で最年長は100歳。「一人暮らしで自転車に乗って名瀬まで買い物に行くよ」と色んな人が教えてくれた。集落に元気な百歳がいることを誇りに思っていることが理解された。

この集落では、年の祝いの担当はシマを四つのブロックに分けて担当制で行われている。毎年、それぞれが趣向を凝らす。今年は、招待者の若い頃のビデオが映され、その頃を知っている参加者から歓声が上がっていた。

旧暦で行われる七夕まつり（写真⑤）

奄美の七夕祭りは旧暦で行われる。ちょうど、本土の旧盆の時期に当たり、ご先祖様が各家に戻ってくる日である。奄美の各シマでは、朝早く、笹に願い事を書いた短冊をつけていく。筆者も勧められ、前日に短冊に願い事を書いた。誰よりも早く、高く、笹を掲げる。ご先祖様が迷わないように帰ってくる目印になるからである。

笹を掲げると七夕流しといって、決まって数分後には雨が降るといわれている。その話を聞いて、笹が完成した5分後には、不思議にも小雨が降ってきた。七夕流しを実体験できた。願い事を書いた短冊は、雨や風で散ると願い事が叶うとされるが、筆者の短冊も早く散りましたよと、後で教えてもらった。

その日は、ほとんどの家で七夕が飾られていた。晴れやかで、美しい。最近は、短冊を作れない高齢者の為に、七夕飾りを作ってさしあげるサービスもあるようである。先祖を大切に迎える伝統行事が現在的にアレンジしながら継承されているのを知る機会となった。

旧暦八月の祖霊祭

旧暦八月の最初の丙《ヒノエ》の日をアラセツ（新節）とよび、ここから奄美ではシバサシ、ドゥンガという、三八月（ミハチガツ）の伝統行事が始まる。アラセツは火の神を祀り、火事がないように祈願する。前日はツカリ日で、各家で高祖ガナシ（先祖）にお供えするごちそうを作る。アラセツから7日目の壬《ミズノエ》の祭りであるシバサシ（柴挿し）は、畑の神の祀りで、家の屋根・屋敷・田畑に柴（トウズキ）を立てて悪霊を払う土の神の祭りである。

アラセツからシバサシの間、夜は八月踊りを踊る。ドゥンガはシバサシの後の甲子《キノエネ》の祭りで、先祖祭やねずみの祭りともいわれ、早朝墓参りをする。これらの伝統行事は近年は簡略化されながらも、奄美の人々の暮らしに息づいている。

秋名のアラセツ行事（ショチョガマ・平瀬マンカイ）

龍郷町秋名には、アラセツの日に、ショチョガマと平瀬マンカイが行われる。秋名のアラセツ行事として、昭和60年に国の無形重要民俗文化財に指定されている。外からやってくる先祖をもてなすため、「逆膳」として、外へ向けてお膳を用意する。料理は代々その家の女性から女性へ伝わって、五つ膳、二つ膳などそれぞれの家で異なっている。材料は畑で採れるものが中心である。大根、小芋、筍、厚揚げ、昆布、そして、煮た魚（深海魚）を載せる。「アラセツ、マッテ、オアスリョウタ」（アラセツの祭りです。どうぞ、召し上がってください）と、声を出していう。（写真⑥）

「朝潮が満ちればショチョガマの祭り、夕潮が満ちれば平瀬の祭り」と歌うわれるように、ショチョガマは、旧暦八月の最初の丙の日の明け方に行われる。かつて、秋名集落は奄美随一の田園地帯であった。田んぼを見降ろす山の中腹に、ショチョガマと呼ばれる萱や稲わらを敷いた片屋根を前日に作ることから始まる。

祭りの日の早朝、男たちはショチョガマの上で太鼓を打ち鳴らし、シマの人々に祭りを呼びかける。この1年間に生まれた男の子も屋根に乗せ、健康祈願をする。成人男性や男の子が太鼓に合わせ豊年の歌を歌い、豊作をもたらすとされる稲霊を招く。

午前6時過ぎ、太陽が山の頂に上ると同時に屋根をゆすり始め、倒す。倒れた屋根の上で、人々は輪になって豊作を祈る八月踊りを踊る。ショチョガマが倒れた合図で、各家では先祖に備えた料理を片づける。ショチョガマは毎年新しく作られ、そして壊される。ショチョガマ作りはたくさんの工程があり、手間がかかる仕事であるが、高齢者が若い人に技を引き継ぐ場となり継承されている。

平瀬マンカイは、その日の夕方（午後4時頃）、シナ海に面した秋名の海岸に立つ二つの岩で行われる。ショチョガマは男の祭りであるが、平瀬マンカイは女の祭りで、海の彼方のネリヤの国から稲霊を招き神々へ豊作祈願する。マンカイは「招く」から来ている。左手の神平瀬はノロに扮した女性5人が上がり、右手のメラベ平瀬には、ノロを補佐する男性3人と女性4人が上がる。太鼓を打ち鳴らし、双方が歌の掛け合いをする。神平瀬では合掌し神事を唱え、ネリヤの神に対する礼拝で祭りは終了する。

その後、浜に下りて八月踊りを踊る。行事が終わると、その場でそれぞれの家で準備したお重を囲み、親戚・知人が車座になって宴が始まる。一重一瓶である。この日に合わせ集落に住んでいない人も帰郷し、浜は賑やかになる。（写真⑦）

この祭りは、今から４５０年前琉球の時代に、この地域で行われていた稲作祭儀が伝承されてきたもので、一時途絶えたものの地元の人々が力を合わせ復活再現している。

八月踊り

アラセツ、シバサシの間、各シマでは八月踊りが開催される。八月踊りは奄美民謡の島唄とセットである。集落によっては簡素化されてきているが、奄美の笠利集落では、アラセツの前日から始まり三日間踊り、三日間休んで、また三日間踊る。笠利町の笠利一区（約１００人）のアラセツの日の踊りは前日が踊り初めで、その日は公民館で行われる。二日目、三日目の踊りは、ブロックに分けて各家の庭で踊る。島唄の歌詞はシマ口（方言）で唄われるので、シマ口を知っている超高齢者の出番である。男女相互の掛け合いで、シマ口の分からない人たちのために、歌詞の持ち手が二人いた。そして、その年初盆を迎えた家には必ず訪問して踊り、そのお家ではミキ（神酒）を振る舞うのが習慣となっている。集落の殆どの人が参加し、最高齢は１００歳であった。

笠利二区は大所帯（約１５０人）であった。公民館の前の道路に大きな輪がいくつもできて、踊っていた。夜中12時近くまで踊るようである。三か所目の須賀集落は40人程の輪であったが、にぎやかであった。奄美の人々にとって、八月踊りは集落ごとに形は異なりながら、シマの一大イベントとして盛大に行われている。

各集落の八月踊りの場は、年間の集落の公民館の活動資金を得る場でもあるようである。人々は花代（寄付のお金）を持ち寄る。花代をお披露目する担当もいる。竹に串刺しされた花（現金）を高く掲げていた。祭りの間には花代のご披露がある。名前を呼ばれた人は前に出て私ですよという踊りをする。金額の多寡にかかわらず、誇らしげである。

大和村の湯湾釜集落のキトバレ（祈祷払い）の祭りでは、祭りを復活させた青年団の一年間の活動費を捻出する場となっていた。自前で祭りを行っている気概を感じた。

旧暦9月の大和村の豊年祭（写真①）

大和村の各集落の豊年祭は、毎年旧暦の9月9日前後に行われ、豊作をもたらす自然や神に日ごろの感謝を祈ることから行事が始まった。

大和村大棚集落の豊年祭は、朝まだ日が明けない頃に、男性二人が集落の聖なる水場から水を汲みに行く。その水は、祭りを司るノロによって土俵を清めていく。

ノロのいない津名久集落では、力士たちが揃ってシマの聖なる

【コラム】島唄

島唄はシマ歌とも書くように、シマ毎に歌詞や節回しなどに独特の特徴がある。琉球の影響下で発達し共通する部分も多い。詩形で、8886の30音、三味線（蛇皮線）を用いる。大きく異なるのは琉歌は作者の名前がはっきりしているが、島唄の作詞はすべて無名の庶民の作である。「うた遊び」の場で雰囲気に合わせ掛け合い、即興的に作られた歌が多い。長寿を願う歌や親子の情愛、婚礼歌など様々にある。シマに生きる人々のアイデンティティそのものである。

水場まで汲みに行った。まず、その場所で奉納相撲を行う。そのあと、土俵まで運んでいく。

豊年祭では、男性は力士となって相撲をとり、女性は土俵の周りで八月踊りを踊って、豊作を祝う。豊年祭では、高齢者は常に行事の主賓として扱われ、お料理と特別の席が設けられる。高齢者を上座に据え、集落の人々による様々な催しが行われる。この祭は、集落を支えてきた長寿者たちを敬い、日頃の感謝を伝える場でもある。夜には、土俵を囲んで八月踊りが始まる。各シマの広場にある土俵は、先祖から伝わる大切な目に見える文化資本である。

4　伝統行事を支える人々

国の重要無形民俗文化財に指定されている秋名アラセツ行事を継承している龍郷町の秋名アラセツ行事保存会の会長他四名の方々に、シマの歴史やお祭りの取り組み、日常生活などについて話を伺った。いずれも祭りの中心メンバーである。

祭りのこと「ショチョガマと平瀬マンカイ」

Aさん：「ショチョガマが残っているのは、稲作の田んぼがあるからね。ここ秋名は、昔、奄美一の稲作地帯だった」

Aさん：「ショチョガマは、昔集落に三つあって、里《サト》と幾里《イクサト》とアガレ。向かい合って先にどこが倒れるか、競争した。今残っているのは我々の幾里だけです」

Cさん：「ショチョガマには、女はのってはいけないという決まりがあります。女は生理があるから穢れているって。釣り竿なども女がまたがったらダメとか、ありますよ」
Dさん：「鹿児島では風呂も女が最後。女が大事なのに」
Bさん：「豊作を招く行事が二つあって、朝、潮が引く頃の行事がショチョガマで、夕方、潮が満ちるときが、平瀬マンカイ」
Aさん：「ショチョガマは、山の神様に祈る。田袋（田んぼ）にむかって、田んぼが見下ろせる場所で、行いますよ」
Aさん：「平瀬マンカイは、この辺はノロが親分だから、祀りを司どるのはノロです。ノロの男兄弟のグジが代わって行う。今は、わたしがグジ役をしています」
Aさん：「昔は、一晩、踊り明かして、夜明けにショチョガマ潰して、二、三軒で飲んで、酔っ払って寝て。夕方、平瀬マンカイに行った。今は勤め人が多いから、無理はできんけどね」
Eさん：「平瀬マンカイは稲作文化。豊作になったお礼と、来年豊作をしてくださいとお願いする。珊瑚礁に新米をサンドイッチにしてお供えします。一年の行事は、ノロさんが仕切っていた。ノロの親は沖縄の県知事のようなもの。お礼は、ネリヤの国に対するお礼ですよ。ネリヤの国でお米を作りよった。ネズミの国だったんだろや」
80代後半のEさんのネズミの話については、柳田国男の『海上の道』の「鼠の浄土」のなかに、「奄美大島の農民たちが、是ほどにもひどい毎年の害に苦しみながら、なお鼠に対し尊敬の意を失わず……」の記述がある。先代から続くネズミへの思いが今も生きている。そんな感慨に浸る話であった。

ショチョガマの準備

Aさん：「ショチョガマづくりの作業をする人で、最高の年齢は90歳。作業人夫、裏方。祭りに参加していないけど。人出がたくさんいるから、青年団、老人会が手伝ってやっている。おのずと、どの作業をするか決まる。先輩がその場で教えるよ。やりながら、覚えていくもの」

Bさん：「準備は、祭りの前の日の日曜日にする」

Aさん：「（最後には小屋が崩れないといけないから、そのような工夫があるのですか）いや、屋根に25人も上ると、崩れるけど、もったいぶって、状況を見ている。途中で歌を歌ったりして、やって。見ている人にも、楽しませんと」

Aさん：「一度崩れないときがあって、大変な年があった。もう、学校に行く時間なのに、崩れない。その時はね、最後は柱を切ったね。そういうことはめったにないけど」

皆さんの語りからは、祭りは集落みんなの参加で成り立つもので、年配者から若年層へ、祭りを通じ集落の技やノウハウが伝わっていく。やるほうも見るほうも楽しむ。まさしく柳田国男のいう祭りの機能「共同の歓喜と次世代に伝えること」の実例が語られた。

昔、祭りはヤンチュの楽しみだった

Aさん：「昔、豪族がいたね。古仁屋の林家、ここは伊藤家、笠利からいらしていた。皆、米を収穫して一旦は納めるけど、無くなると前借りをする。借りた人は、米が納められないと、人夫にでた。それがヤンチュ」

Aさん:「昔は、親の葬式は豪勢にしたから、悔みが出るとその賄いが大変。親戚は喜んでいたけど、米が食べられるから。葬式の費用を借りたけど、返せるはずがないからヤンチュになって、向こうで働かないといけない。長男とかが行くけど、借りて人夫になる。その途中で、悔みが2、3回続くと、もう、何年も、人夫を続けることになる」

Aさん:「屋敷には、ヤンチュが入る門があった。祭りごとは、ヤンチュの思いつきではじまった。365日雇われているけど、その日は、踊ってよいという休む日を決めた。ヤンチュウの楽しみとして、お祭りをつくったと言われている」

Aさんからは、地域の歴史が生き生きと語られ、生きた民俗の世界が現実として伝わってくる。シマには、親から子へと語り継がれる愛着の歴史がある。

三八月《ミハチガツ》・八月踊りのこと

Aさん:「旧暦の八月に入って、丙《ヒノエ》が祭り日、シバサシ、ドンガは、根切るで子《ネ》の日にする。ことの始まりは、丙で、終りは、子で切る。農業は旧暦でないとできないよ。海の潮もあわないし」

Cさん:「毎月旧暦の1日と15日は大潮。大潮の時は漁船を持っている人は海に行かない。だけど、リーフができて、1キロほどの近海まで歩いて行ける。潮にのって、近くに獲物がくるの。ウニや貝、たくさん捕れて楽しいよ」

Eさん:「(八月踊り)もう何十年も、ここで生まれて、じっちゃん、ばっちゃんがやっているので、引き継いでいる。絶えされることはできないよ」

Dさん：「行事があるから、踊りを教えたりする。種おろし（秋の農耕まつり）や、お祭りを通してね。踊りは、数多く場数を踏まないと上手く踊れないよ。こうして、生に伝授する。身体で、自然に。年齢を超えて集まるから、コミュニケーションの場になっている。ばっちゃんがしよったから。自然に習うよね」

Bさん：「お袋が機織りしていて、小さい時は機の下にいたから、歌は耳に残っている。おじいさんが歌って聞かせてくれて、頭に残っている。一遍で習うのは、大間違い」。

Aさん：「子ども達には、小さい時から祭りごとを伝承している。30代や40代は忙しいけど、60歳代になると帰ってくるだろうと思っている」

参加者全員がそれぞれに祭りの話をしてくれた。共通の話題があると、性別や年代は関係なく、会話は自然に湧き上がって出てくるものだと感じた。そして、踊りが長年の積み重ねであることに誇りをもっていること、祭りを伝授された次世代はきっと帰ってくれるという、未来へつなぐ確信行動であることを感じた。

七草の祝い

Cさん：「七草のお祝いは、秋名は夕方に行う。名瀬の方は朝だから、早く炊いて、待っていた。七草は、神様の子から人間の仲間に、大人と同じになること。学校に入る歳だから。これまで神社に預けていて、七つになったら貰い受ける儀式だから、昔は、武運崎までもらい受けに行ったの。昔、武運崎の上に神社があったよ」

Cさんの話は、まさしく生きた民俗の世界である。奄美の子どもは、伝統を守る周囲の大人の温かい見守りのなかで成長している。

長寿のこと

Dさん：「それは、精神的にくよくよしないこと。食べ物は野菜を作って食べること。農業は運動になっていると思う」

Cさん：「食べ物あるし、年中行事のときは、みんな決まったものを食べる。1月11日は魂入れの日で、紅白のちいさな餅を福木に挿す。そのためにお餅をつくる。鏡開きは14日。15日は小正月がある。18日は、豚の酢漬け、みんな食べる。塩をして保存したものを、みんな食べるの。田植えの時まで残していて、田植えは忙しいから簡単に食べられるようにそれを加工して、賄いして、食べられるようにする。もろもろの行事があるたびに、隣同士あげ合う。七草粥（ナンカンドッス）、あそこの家は豚があったわ、なかったわ、とかあるよ」

Aさん：「年の祝いは、昔は、大根で鶴。ソテツで亀甲にして亀。人参と大根で飾る。88歳では、畳を裏返しして、仮の葬式をしていた。今はせんね。祝い節は、あさばな節。集落で音が違うけど。今日の良き日に、祝いするという内容。百歳まで長生きしてほしい、親に対しての尊敬がある。親があって子どもがあるから。生んでくれた親に、百歳まで長生きしてもらおう、親孝行の気持ちの歌ですよ。親の寝顔をみていたら、皺だらけだけどしあわせ、という歌詞があるよ」

Cさん：「ここは、薬草が何十種類もある。薬草は採らないけどね、ハマナ、ツルナ、自然に生えている。

食べられるものがいっぱいあるね。七草も、アシタバ、ハンダマも。ハンダマは、裏が紫色。長寿の食べ物といわれている。挿したら、どこでも、生えるよ」

長寿は、奄美の豊かな自然と食べ物、そして、子の親を思う気持ちであることを教えられた。島唄に親孝行の歌がある、奄美ならではであろう。

海の神様と大工の神様への祈り

Aさん：「海の神様と大工の神様へのお祈りは旧暦正月の二日にする。この辺ではネリヤの神が海の神様のことです。大工の神様は、高い所で祀るものよ。大工道具は大事なもの。巻尺は墨や紐でしるしをつける。間違ったことをしないというので、この辺では、きちんとする人のことを、大工の神様というよ」

Cさん：「火の神、水の神は、自分たちの生まれた日に拝みにいく。石とお酒を持って拝んでいる。その時には、年と名前を言って拝む。2か月に1回は、私と私に関わるみんなが無事でいられますようにと祈ります」

Dさん：「拝む時は気をつけないと、草の生えているところには、コジャラゴというマムシでなく、姫ハブがいるの。毒は小さくても普通のハブと一緒だからね」

Cさん：「ここでは、海のものは誰でも捕っていいからね。この辺の人は、海に入る時と出る時は、拝んでいるよ。浜下りの三月三日は、海のものを食べないとふくろうになると言われている。行けない人には、お裾分けするわけ」

奄美の人々の神様への感謝の思いが語られた。生活のすべての場面に神様がいる。日々の所作の中で、それらは祈りの行動となっている。奄美大島の西の端の大和村で聞いた女性の泉への祈願は、東の端の龍郷町でも同じように行われていた。

若い頃の機織りの話

Eさん（女性）の話

「この地域は、大島紬が盛んに織られ、その中でも難しいと言われている秋名柄（バラ）を織っていたよ。昔は機を織るときには綺麗にお化粧して、白い割烹着を着て、やっていたよ。汚さんように、身だしなみ大事にしていた。そういうふうにして紬を仕上げていた。この辺でも、あちこちに工場があったよ。遅くまで、やっていた。夕ご飯食べてから、また、物差しを持って、ランプ下げて、機織りしていたね。何度もランプのホヤを磨きながら、やっていた。その頃、みんな紬を織っていたね。子どもは機のなかにいてね。子どもが退屈になると、機の中から足踏みを押えて、織らさせてくれんわけ。その頃は羽振り良かったよ。みんな、家を新築した。男は土方で、村々が栄えたの。高校に行かなくて、シマに残って機織りした。足が機に届かん時からやってたの。機を織らん人は出稼ぎに行って、お盆しか帰ってこないからね」

Dさん（女性）の話

「旦那は出稼ぎで、二人の子は一人で育てたの。60歳くらいまでは機織っていたよ。平成の初めまでね。機があるからやっていたけど。今やっている人、秋名で、5、6人かな。アキナバラは難しくてね。横と縦の糸をあわせて、絞めるの。織は、スタートが大事。段々、絞め機の技術がよくなった。織りの半分は柄。柄はひっぱりすぎてもだめ。アキナバラは他の地域の人は織りきらん。織りきらんよ。難しいから秋名の人しか、できないわ」

Eさん、Dさんからは、大島紬が全盛だった頃の話が出た。その頃、シマの女性は中心の働き手として、集落を支えていたこと。彼女たちには、大島紬でもさらに難しいとされるアキナバラを織っていたという誇りが今もある。機を織るときの神聖な気持ちが伝わってくる話であった。

Eさんが語った秋名に伝わる民話

平瀬マンカイでノロ役をしているEさんは、メンバーの中で一番の高齢で85歳。民話をたくさん知っていた。

「おじいさんが物知りでね。いろんな話を小さい頃、聞かせよったから、記憶にあるわけ」といい、息子さんも、テレビがない時代、寝つくまでお母さんやおじいちゃんの民話を聞いて育って、一冊の絵本を出版されている。「島クダマルとコウジン様」というタイトルの絵本である。

その内容は、「奄美を作った神様の島クダマルが、ネリヤカナヤの国から遣わされたコウジン様という神様に、色々な島づくりのアドバイスをしてもらいながら、奄美の島を作っていくお話。そのなかで、ネリヤの国はネズミが稲を実らせている豊かな国で、ネズミに田の作り方を教えてもらう代わりに、ネズミを大事にするよう約束をする。だから、元々、ネズミが持ってきたお米だから、遠慮なくお食べと言っている」というお話だ。

・立神様の由来

「立神様は、島クダマルが作ったよ。昔、村は台風が来て流され、島クダマルが心配して泣いていたら、コウジン様がやってきて、『どうしていいか自分が教えてあげるから』と言ったので、島クダマルが、『どうしたら人が安心して住めるか』と尋ねると、『岬の先端に石を置いたら、島が流されん』と。島クダマルが、岬の先に石を置いたら、島が流されんようになった。それが、立神様。島クダマルがおいた立神様がそこら中に、あるよ」

・サンヤの神様

「サンヤの神様は、力持ちの神様で、その石を運んできたかもしれないよ。『よいとこまかせ』は、三いとこ、四（ゆいとこ：こども、まご、ひまご、そのつぎ）までは、サンヤの神様が力をくれると。『サンヤがゆいとこ』、『サンヤがゆいとこ』といえば、軽く乗せてくれるわけ」

Eさんの話を聞いていたCさんが、突然声を発した。「平瀬マンカイの行事の時、『サンヤのマータイ』と歌をうたうけど、歌いながら、『サンヤのマータイ』の意味が分からなかった。それ、サンヤの神様のことね」

祭りの歌の意味が伝わり、共有された感動の瞬間に、筆者は同席していた。伝統はこのように、コミュニケーションの中で受け継がれていくものだろうと思った。

・コウジン様

「ネリヤの神様の国は、ネズミの国。海の向こうに、ネズミの国があるわけ。想像できんけどコメの始まりのところ。だから、高倉にネズミが米を食べても怒ってはいけないの」

この話に関連して、Aさんが話し出した。

「昔から、たんぼの隅にわざとねずみのために稲を植えておくね。意味は知らなかったけど。でも、畔道壊してネズミ捕りしたね、棒持って。ネズミを退治しないと、ハブがネズミを狙ってくるからね。今は役場にハブを持っていくと、1匹4000円で引き取ってくれる。昔は組毎にハブを捕る割り当てがあった。昔は、田んぼの至るところに石積んで、山になっとるところにハブがいた。田んぼを耕すと、石がでてくるから、石塚のようになって、雑草が生えてハブの住処になっている」

・正月16日に山に行ったらいかんという理由

「正月の16日には、山に行ったらいかんといわれている。山の神様が武運崎で会合するって。一年の会合があって、偉い神様が集まって会合するから、その日は、親神様がいないから、小さい子どもの神様は自由に遊べるわけ。自由に遊べるから、悪さするわけ。山の木を倒したりするとか。悪いことがある。怪我したりするから、山に行ったらいかん。相撲をとったり、口笛ふいたりする。帰る道がわからなくて、明くる日、みんなで探したら、食べ物はミミズが出てきたり、赤土が出てきたりしたって」

この話にBさんが、「ほんとに、山で、よいしょ、よいしょ、相撲までするって。口笛吹いたり、聞いたって言うよ」。

Cさんは、「そういえば、知らないで、彰子姐さんが山に木を取りに行ったら、風が無いのに、木が揺れて、なんだろうと怖くなって木を取らずに帰ってきたって。帰ったら、あんた、今日は何の日か知っているかと大人に言われたって」

Aさんは、「今でも、盆の16日、正月の16日は、山に行かんよ」と言い、Cさんは、「でも、行ったら行かん理由、初めて聞いたね」と答え、みんなは口々に、「その日は、親神様がいなくて、子どもの神様がいたずらするんだってことね」と、了解した様子。

ここにも、コミュニケーションのなかで、地域の文化が、世代から世代に伝わることを知らされた。柳田国男の「鼠の浄土」の話が、ここでは生き生き語られたのである。

おわりに

奄美の人々の語りには、かつての民俗の世界ではなく、今も祭りや伝統行事、習慣が引き継がれ、それらを継承する人々のつながりが日常の学となって、豊かな民俗文化の世界を形成している。

そして、人々の暮らしには、大きな災禍をもたらす自然の営みに対し非力な人間が、毎年神様への約束事を果たすことで災難を回避し、自然の加護を受けることができるという確信、願いの源がある。そのような営みを継続することによって先祖とつながり、人とひとがつながっていく、そんな営みがあるようにみえる。

約束事とは旧暦に基づいて行われる各シマに伝わる伝統行事、年中行事、祖霊行事などである。各シマに伝わる島唄や八月踊りは、文字のない時代のなごりもあって、歌詞や曲調が微妙に異なりながらも歌い継がれ、踊り継がれている。そして、島唄や八月踊りの中心には超高齢者がいる。超高齢者はシマ口やテンポの多様な歌と踊りを巧みに操る教師的存在である。その見事な所作はシマの若い世代の羨望でもある。

第3章　健康長寿を支えるシマの地域経営

1　シマの「文化資本を活かした地域経営」

近年、地域再生や地域活性化の視点から、地域に企業経営的手法を導入する、「地域経営」への関心が高まっている。これらは、国、都道府県、市町村がそれぞれの危機意識を背景に、国が地方の自治体に独立採算経営を指導し、多様な主体が連携して地域全体を「経営」していくという潮流である。つまり、人口減少対策と地域活性化が結びついて、これまでの国土開発的な地域開発ではなく、個々の地域が個性（地域力）を発揮してこそ、日本全体の持続的発展が保証されるというマクロな視点がある。

そのような流れのなかで、本章では、長寿時代の国民的課題である「健康長寿」を実現している、シマの文化資本を活かした「地域経営」に焦点をあてる。ここでの地域経営とは、地域の全構成員（子どもからお年寄り）が主軸となって、「各自が風土・仕事・暮らしのなかで体得した文化資本を活かしあい健康長寿を実現するシマの経営」という意味である。このように経営学の知見や成果を取り込むことで、長寿の地域要因や支援要因がみえてくると考える。

また、社会経済システムは、元来、人々の日々の生活をより良くするために機能するシステムである。それゆえここでは、長寿社会に対応し、人々の健康長寿としあわせな老いを実現するために機能するシステムととらえる。そこから、奄美のシマにみられる文化資本を活かした地域経営の実態が明らかとなる。

今日、シマの超高齢者が祭りや伝統文化にかかわる余力ができたのは、社会保障制度による年金や健康保険により健康が支えられることも大きい。超高齢者は年金を現金収入の基礎としながら、地元自治体が給付する敬老祝い金などと併せて、衣食住、移動、交流の機会などを活かす経済力を保持するようになったのである。敬老祝い金制度は、超高齢者にとっては長生きが評価されることであり、また、日ごろお世話になっている子や孫にプレゼントできる資金ともなる。

超高齢者は、シマの信頼できるコミュニティのなかで、自立・自給・贈与経済をも生かし、老いと関係する経験や叡智、超越等の潜在能力を持続・創造する人々として、シマにおける文化資本と経済資本の再分配システムに寄与している。そして、奄美における社会保障システムは長寿者を支えるとともに世代間の共生・協働をも実現しているのである。

シマの自治と地域経営

奄美のシマでは、区長を中心とした自治能力の高さ、伝統を基盤とした次世代への文化・ノウハウの伝授・教育力、現物経済が機能している。奄美の人々は愛着を持って、集落のことを〝シマ〟と呼んでいる。シマでは、祀りごとや伝統・年中行事の日程をはじめ、決め事は全員の参加で話し合われる。その結果が行政に報告される。（都市部ではネガティブな高齢者観が蔓延しているが、）奄美では、先祖や年長者を敬う習慣や目上の人には尊敬語が使われ、その地位は高い。これらは、「シマの人々による、長生きを支援する、地域経営のマネジメントが機能している」とみることができる。

奄美のシマには、集会所と土俵はセットである。集会所は、集落の人々が集い、学びあい・育ちあいの場として身近な存在であり、学習や情報を共有する場となっている。土俵は集落の象徴である。豊年祭や敬老行事では相撲大会が行われ、夜には土俵の周りで島唄や八月踊りが盛大に行われる。

シマでは、100歳の一人暮らしも珍しくない。生まれ育った馴染みの人が多い環境で、濃密な交流があり、流れる生活時間もスローである。これらは、ゆっくりと自分の

【コラム】文化資本

ここでの文化資本の概念は池上惇に依拠する。彼は経済資本が「お金を増やす元手」であるのに対し、文化資本は「文化を生み出す元手」とする。目に見えない文化資本（伝統と習慣を基礎として人が身に着けた倫理・知識・技能）に注目する。そこから、超高齢者に体化した文化資本とは、超高齢者の年輪を重ねた学習体験の蓄積、仕事や生活における熟達・技巧・判断力・構想力などの蓄積と新たな体験からのフィードバックによる学習・判断力などの潜在能力とする。

ペースで安心して暮らすことができる環境となっている。加えて、物の交換、頂いたり、差し上げたり、相互扶助や結いの習慣が根づいている。

そして、シマの超高齢者は、経験やノウハウ、叡智などの潜在能力を発揮する場や役割、居場所がある。それゆえ、奄美では年齢が重視され、長寿者の地位は高い。会合や敬老会でも上席が用意される（町長も年齢相応の席に座る）。元気な姿を身近に見ている若い世代は、年長者を敬い、尊敬の言葉で労るなど、敬老意識も高い。これらは長寿を支える要因ともなっている。経済資本ではない、目にはみえない文化資本を生かした地域経営が機能しているのである。

2　長寿社会における超高齢者の役割

筆者の長寿地域の研究（奄美や京丹後市、遠野市）から共通して見出されたのは、そこには祭りや伝統行事、年中行事が継承されていることである。共同体の基盤のうえに相互扶助、結いが機能し、つながりやきずなが強い。祭りや儀式を次世代に伝える中心に超高齢者がいる。

長寿地域の超高齢者は、支えられる側だけでなく生活の技やノウハウ、潜在能力を開花させ、地域に貢献しているのである。そのようなコミュニティの下で、超高齢者は自立した生活を営み、生きる目標があり、長生きを楽しんでいるようである。

このような、長寿地域の超高齢者とコミュニティの関係性は、かつての日本各地の共同体で普遍的にみられたものである。しかし共同体は、負の部分として切り捨てられ弱小化していった。経済成長の過程で、農村の崩壊、稲作文化の衰退などにつながって、地域固有の自然や祭り・伝統などの価値は見捨てられ、衰退していったものである。

都会の荒廃と高齢者の地位の低下、生きづらさ

近年、高度成長の負の部分がクローズアップされてきている。気がつくと個人がバラバラになって、孤立や孤独、不安など、ストレスの高い生活が充満している。経済的豊かさを手に入れ、「公」より「私」生活を重視してきた代償として、人とひととのふれあいの希薄化、物足りなさなど、こころの喪失を感じ始めている。地球規模での環境問題や資源枯渇の問題も提起されている。

人間と自然の関係が大きく変化した現代社会の行き詰まり感は、高齢者に限らず、都市では砂漠化社会と評されるようなストレスフルな生活、不安感、行き詰まり感の蔓延となっている。

このような社会体制下で、子どもの健全育成にも影響が出ている。いじめや不登校、非行は、学校だけの問題でなく、地域や家庭の問題が影を落としている。高齢者だけでなく、若者にとっても生きづらい時代になっている。（被災地をはじめとして、）きずなの再生が課題となってきている。

長寿時代に高まる共同体への関心

このような潮流の中で、人とひととのつながりやきずなの再生・復活、持続可能な社会への構築など、全国的に生きる場や縁《エン》の再創造として、地域コミュニティを捉えなおす動きが出ている。内山節は『共同体の基礎理論』のなかで、次のように記している。

「資本主義の駒として人間が使われるばかりで、孤独、孤立、不安、行き詰まりという言葉のほうが、個人の社会にふさわしいことが明らかになってきた。代わって、関係性、共同性、結びつき、利他、コミュニティ、そして、『共同体』が未来へ向かった言葉として使われるようになった。農村＝遅れた社会という観念も消え、むしろ都会の荒廃のほうが話題になってきた」

広井良典氏の拡大成長路線ではない新たな定常型社会のコミュニティづくりの提案や、藻谷浩介氏の里山に新たな事業可能性を提案する動きなど、超高齢社会の進展の中で、地域再生に向けた地域経営のあり方の議論や模索が広がっている。これまで否定的にみられてきた共同体のポジティブな側面に注目する動きが出てきているのである。

一方、大衆長寿の時代を迎え、元気な超高齢者の増大が顕著である。特に、祭りや伝統行事が継承されている長寿地域には多世代が交流するコミュニティの場があり、高齢者の増加を負担感の増大とみるネガティブな視線はない。超高齢者に対し、先覚者、教師として位置づけ、老いを自分たちのポジティブな将来像に重ねてみている。このようなコミュニティ環境の創出こそ、長寿時代の世代間の共生・協働と社会の持続的な発展を生み出す源となるであろう。

3　日本の集落共同体の成立史

日本の集落は、かつて、部落共同体、村落共同体、小地域共同体などと称されてきた。シマと称される奄美の社会集団は、農村社会学者の鈴木栄太郎が地域区分したなかの、最小の集団である「字」

にあたる。

日本の集落は、変化の激しい自然の中で、日本固有の「自然と人間との共同体」として生み出されてきたものである。集落は人間が自然の中で生きていくための最小限必要な地域集団の単位であり、家集団の能力では不足なために、20～30戸が同じ地域に寄り合って創ったグループである。

集落はそれ自身、歴史と伝統を持った完全な民間組織であった。ある家が屋根の葺き替えをするとなると、自分の鍬と刈った藁を持って集まる。祝言や葬式となると手伝い、晴れ着や喪服を着て参列する。田植えや稲刈りも同様であった。江戸時代に村役人や五人組制度ができても、こうしたルールは乱されなかった。明治以降も、上から町村役場や地方議会、隣組、町内会がつくられても、それとは一応独立した二重の組織として、ひっそりと生き続けてきたのである。薩摩藩の厳しい支配下にあった奄美のシマにおいても、役人は血縁共同体としての強い紐帯を弱めることはできなかったと記されている[21]。

そうした基底を形成する集落には、もともと「行政権」が割り込む余地はなく、理念上は各人が生産者であると同時に消費者であり、一人が全員のために、全員が一人のために働くという人間疎外のない世界として形成されていた。しかしこの共同体は、色川大吉が指摘するように、いつのまにか行政の末端組織である村落自治体や村機関と混同され、村役人の支配によって容易に変えうるものと誤解されてきたのである。

日本の風土と集落共同体の特徴

日本の共同体は、和辻哲郎が『風土：人間学的考察』のなかで述べているように、風土によって規定された人間の存在構造の基盤である。人間は、歴史と風土の二重構造に強く規制され、そこには、「歴史と離れた風土もなく、風土を離れた歴史もない」と捉えられている。

和辻は、日本を含む東アジアの属する「モンスーン型」の風土は、暑熱と湿気とが結合し、しばしば大雨・暴風・日照りなどの荒々しい力となって人間に襲いかかる。このような風土下では人間は対抗することを断念させられ、忍従的にならしめられ、自然に対し受容的とならしめられると解釈する。日本の共同体にある強い結集の風土は、「モンスーン型」のなせる業として、「砂漠型」や「牧草型」の欧米の風土から現れる、戦闘性や合理性とは異なることを指摘するのである。

色川は『思想の冒険』のなかで、「日本の共同体は、数世紀にわたる底辺人民の叡智の結晶を宿し、おびただしい失敗の経験や惨苦の犠牲を通して考えぬかれ、創りあげられてきた、極めてダイナミズムに富む結衆の様式である」と論じている。その特徴は、自然と人間の共同体であり、生の世界と死の世界が統合され、自然信仰と神仏信仰が一体化されている。この点は、欧米の自然環境に左右されない風土から人間同士の契約で成り立つ共同体とは、はっきり違う点である。

このように、日本の集落の自治は、自然への畏敬の念を毎年の儀式を通して再認識するとともに、自然に神の世界を見出し、神に祈りをささげることによって、自然を自分たちの世界に取り込んできた。日本の共同体は自然への信仰を抜きにしては語れない理由である。

柳田民俗学では、こうして死後自然となった人々を「祖霊」「ご先祖様」と呼んで敬った。ご先祖様は、山々の自然の世界と一体となって、田植えや稲刈りを見届けて帰っていく。ここには、生の世界だけでなく死の世界をも含めて展開し、それをつないでいるものは自然だという認識がある。奄美のシマの人々は、豊かな実りを与えてくれる自然が、時には凶暴な自然に変身するという環境をも受け入れ、シマの共同体にこそ自分たちの生きる「小宇宙」があると信じてきた。奄美のシマでは人間の共同体としての生と死を継承し、結いの力や文化の力で、今日の伝統文化を基軸とした生活を創りあげてきたのである。

近年、共同体への評価も否定から肯定へと大きく変わってきている。ローカルな人とひととの関係性の見直し、持続可能社会の構築など、生きる場の再創造として共同体を捉えなおす動きがある。国を挙げての経済成長から、生活の場でつながる幸福感やコミュニティづくりへの提案がされている。例えば、里山資本主義では、役に立たない「高齢者」から生きる名人としての「光齢者」に光が当たり、お金ではない大きな力となって、里山を活性化させている。

長寿社会の進展の中で、経済資本に頼らない地域のあり方への議論や、共同体のポジティブな側面に注目する動きは大きくなっている。

奄美のシマの協働の持つ力

奄美には、自分たちの環境は自分たちで管理するという自治意識（道路の管理や清掃、結いの労働、危機管理）が強い。都会では何を買うにもお金が必要となるが、奄美では、自らの労働や気持ちの交換で成り立っている経済がある。労働奉仕でも、ボランティアという概念ではなく、共同体の当たり前の行為として成り立っている。

これらは、地域の経営という視点から見れば、さまざまな主体が、自分たちの力で地域環境を保全・創造するのが地域経営の基本である。その意味では、奄美では、経済資本を使わなくても労働生産物が創出できる社会経済システムが機能している。地域経営の原点にある「経営者は住民」という信頼のプラットホームの基盤は、奄美のシマには既にあるということである。

奄美のシマが蓄積してきた祭りやきずな、結いの習慣などの地域資源は、健康長寿時代の今こそ、本領を発揮するだろう。現役世代も退職世代も、そして、都市の住民にとっても、心を豊かにする資源となろう。それらを提供することも、奄美の文化資本を活かした地域経営の大きな可能性としてみえてくる。奄美のシマの人々が守り継承してきた生活文化は、長寿時代に生きる豊かさのコツを示してくれるはずである。

第4章　長寿と子宝を支える現代版結い

1　「結い」と「知識結」の発生史

奄美の超高齢者は、過酷な暮らしのなかでも、自然への畏敬や先祖への感謝を忘れず、仕事の技を磨き、ノウハウを共有し、相互扶助と結いの力で暮らしを営んできた。それらは、自然資本や文化資本、社会関係資本として蓄積されて、シマの人々のアイデンティティを強固にしてきた。劣悪な環境を生き延び長寿を実現している超高齢者は、若い世代に安心感を与える存在でもある。

超高齢者は、長生きが喜ばれ、敬愛されるシマの習慣の中で、様々な技やノウハウ、そして、祭りや伝統行事を次世代に伝え、つなぐという大きな役割を担ってきた。そのことが生き生きとした暮らしにつながって、長寿と幸福感の源を形成している。

本章では、祭りの関係者や民俗研究者などの語り、そして集落区長調査の回答から、奄美のシマに残る現代版結いの実態に注目していく。

「結い」の発生史

「結い」は、結合という古い言葉で、日本の地域共同体（集落）で行われていた、ほぼ同等の労働力の相互給付によって成立する共同作業をさす。

日本の共同体は、前述したように、人間が自然の中で生きていくための最小限必要な地域的集団の単位として、家集団の能力では不足なために、20～30戸の家が同じ地域に寄り合って創ったグループで構成される。

「結い」は、共同体で個人の能力を超えて生きていくための、生活維持の制度である。そして「結い」は、厳密には農業上の共同作業に限られた言葉ではなく、広い意味で使われ、集落でのお互いの生存、家の生存を守るための家々間の共同関係を結ぶことが、長い時代を通して行われてきた。共同で行うことを「ユイデスル」、「ユイニスル」などと使われていることや、農作業の区切りに温泉、風呂で按摩をしあうことを、「ユイアンマ」などと、使用していたことにも表れている。

「知識結《チシキユイ》」の発生史

一方、集落内という範囲を超えて行われる「知識結」という概念がある。知識結の「知識」とは、『呂氏春秋』などに「知人・友人」という意味で用いられている。それが仏典監訳の際に使用され、「僧尼にとっての知人であり、時には安居でもてなしたり、草庵の材料を提供してくれる者」の意味が付加された。

この「知識」が団体を結成することを「知識結」といい、それによって、造寺、造像、建築、架橋の事業がなされた。民間の「知識」の結集として、材木知識、役夫知識、金知識が集められ、造営事業に直接労働力として参加することも、「知識結」と呼ばれたものである。

奈良時代の大仏造営は、古代最大の国家プロジェクトであり、聖武天皇は行基を登用し「知識」による事業として行っている。聖武天皇が「知識結」の手法を取り入れたのは、河内の知識寺で、民間人が自発的に資材や労働を出し合って建てた寺の仏像の立派さ、仏像を作りえた民間の富や技術、人民の結合力の素晴らしさが天皇の心を捉えたのである。

そこで、当時、国家組織では手が付けられなかった荒廃した地域再生の国家的大事業として、民間の力で「知識結」という文化事業を起こし、成し遂げられた。

このように、日本における「結い」や「知識結」は、日本の文化的伝統から生まれた生活の知恵と生活技術、豊かな精神世界が、伝統文化を生かす力量となって形成されたものである。奄美の結いの実際においては、労働の質を問うことはなく、借りた時間の合計を返す仕組みがとられている。無理なく継続できる奄美の人々の叡智であろう。

また、シマ出身者の強い紐帯《チュウタイ》組織である郷友会は、過疎化や高齢化が進むシマの人々に、外部からシマを支援・援助する活動を行っている。シマの人々に安心を与える、現代版の知識結の象徴的存在ともいえる。しかし、このような奄美のシマで機能している結いや知識結の伝統は、残念ながら多くの地域で失われ、過疎、離村、荒廃の状況が生まれている。

2　超高齢者・高齢者を支える結い

奄美大島の風土と現代版結い

奄美大島には、郡都機能を持つ奄美市がある。奄美のなかでも、都市化が進む地域であるが、奄美市のシマにおいても、日常の暮らしの場で、人々が工夫した様々な現代版の結いや知識結が機能している。奄美大島に住む内閣府地域振興伝道師でもあるH氏の語りから、奄美のシマの結いの実態を見ていくこととする。

・大らかさ・曖昧さ：「ここ奄美は、長寿率、子宝率が高い地域です。経済満足度でなく、生活満足度が高い。奄美の宗教はお天道様と結びついて生きる哲学となっているので、みんな穏やかで、大らかに暮らしています。数値で示せない、数値にできないファジー（あいまいさ）な世界から成り立っているので、例えば、奄美の発音には、アとイのなかに、濁音がある。数字の1と2の中にもある。そういう、あいまいなものがあるのです。黒砂糖の作り方も数値化して作れるものではなくて、大島紬の泥染めも、伝統食の鶏飯などもそうです。マニュアル化・レシピ化されない奥深さが息づいているのです」

・おしゃべり好きのコミュニティ：「みんなおしゃべりするのが好きよ。都会の中の週刊誌的な情報全部が日常化して、情報が生活に根づいているから、犯罪の防止になっている面もある。若年高齢者は、月1回のクラス会や学年の同窓会が盛んで、忙しい。いつも、違うレストランに行っておしゃべりしているし、シマのお年寄りは、浜や涼しいところでおしゃべりしているね。いつも同じような行動パターンだから、ここは、連絡し合わなくても会えるところよ」

・ボランティアという言葉はなかった：「ここには、もともとボランティアという言葉はなかったけれど、高校生や専門学校の人が、本土に就職するときにボランティアの実績が必要になったりするので。最近はその言葉を使うけれど、あまり意識はしてない。奄美には、もともと、お年寄りに対するときは丁寧な言葉を使う習慣がありますよ。例えば、アリガタサマリョウタ（ありがとうございました）という言葉がある。敬老お祝い金制度も市町村にあって、高齢者の愉しみになっている。奄美市は3000円。龍郷町は5000円とか、現金で受け取れるよ」

H氏からは、郡都機能があり都市化が進む奄美市においても、人々のおおらかさ＝あいまいさが語られた。その根っこには、お天道様、生きる哲学、固有の発音が、黒砂糖の作り方にも、人々の行動様式にもあるようだ。それが、奄美の固有の価値観を形作っている。特に、情報の伝わり方がおしゃべりという対面型である点は、都市部で暮らすものにとってはなんとも異次元な世界であった。

宇検村・阿室の集落の結いの語り

宇検村は、奄美大島の南西部に位置する、過疎化と高齢化の進行する村である。老人会長のNさんの語りからは、シマで伝承されてきた伝統文化や結いの習慣は、シマの人々の日常生活の中で楽しみ事とつながって根づいることによって、継続していることが明らかにされた。

「このシマには、『あそび』『なぐさめ』『ゆらう』という言葉があります。『あそび』は、厳しい農作業で余裕がない時代に、節目に集まって遊んだものです。『ハブのあそび』や『虫遊び』、『ねずみのあそび』などありました。『ハブのあそび』は祈祷のあそびで、トネヤ（神屋）に集まります。『あそび』と名づけられたものは、厳しい農作業からひと時身体を休める、そのための習慣だったのです。『なぐさみ』は行事や催しのことで、豊年祭や敬老会を指します。『ゆらう』は集まることで、現在でも二カ月に一回、墓の掃除、新年会（年の祝い）、敬老会、忘年会があります。その時は、三味線、島歌、踊りで楽しみます。『むかり』といって、リーダーが集まりましょうと言うと自然に集まる。そのような雰囲気があります。だから、若い高齢者が一人暮らしの高齢者宅へ見回るのも特別なことではなく、自然に行っています」

Nさんの語る孤独を感じない生活は、日常的なつながりのなかにあること、仲間と集うことに楽しみを見出すことを、伺うことができた。柳田国男が、奄美大島には「鼠の遊び」があることを書いているが、奄美の人々は、〝あそび〟と称して、厳しい農作業に耐える工夫をする叡智を蓄えてきたことが理解された。

笠利の八月踊りへの思いと語り

笠利町は奄美大島の北の奄美空港の近くに位置する。町村合併により今は奄美市に編入されている。笠利町に住むMさんの語り。

「私のお母さんは88歳です。長崎で原爆にあって、それを今でもシマ口で歌って伝えています。お母さんは8人の子どもを産んで、次女を除いて、7人が笠利に住んでます。孫と曾孫は70人を超え、もうすぐ、母からすると、嫁さんや婿さんも入れると、家族に100人目が生まれる予定です。

明日からの八月踊りは、夜8時から始まります。人の一生、生まれてから結婚までを歌いながら踊るのです。男女別々に分かれて歌う掛け合いの歌で、シマ口ができない人のために、今は、歌詞を書いためくりを持つ役の人がいます。シマは二つに分かれ、笠利一区は100人、笠利二区は150人。全体の7～8割は祭りに参加しています。少し前、歌者で、襖が破れるぐらい響く人がいたんです。その人はカミ高い人だったですよ。八月踊りには百歳ばっちゃんも来るよ。初盆の家庭は、赤飯（カシキ）と、神酒ミキを備えます。アラセツは、厄払い。島唄は、八八八六調の三十音階です。アラセツには、高祖かなし（先祖の神様）に、「アラセツ、マッテ、オスリョウタ（アラセツなので食事を召し上がってください）」といってお供えします」。

Mさんからお誘いを受けて、笠利の八月踊りを見に行った。集落のほとんどの老若男女が集まっていて、すごい熱気であった。車椅子に乗って、手だけで踊りに参加する人もおり、幼児は抱かれながら音楽に合わせて手真似していた。踊れない高齢者は椅子などに座って観覧していた。彼女らは、ネックレスを付けて盛装していた。集落のみんなのハレの日であること、楽しみごとであることがよく分かった。

自宅で島唄サロンを主宰する語り

Hさんは、龍郷町赤尾木の集落で島唄サロンと地域の見守り隊を作って活動している。「クヌイ（しあわせ者）のたくさんのグループをつくりたいと思って、得意な三味線やリハビリ体操を数人で行っているのです。お声がかかれば、喜んでいきます」と、語る。

「サロンでは、毎月200円積み立てて、5000円になったら、カラオケに行くことにしています。グランドゴルフの大会が年に7、8回はあります。夜5時以降は小学校を使うことができるので、練習はたっぷりできるのです」

Hさんの語りにも、伝統行事や文化の継承と実践を通じて、超高齢者自身も自らの潜在能力を開花させる工夫を行い、それらが長生きへの意欲につながることが伺えた。

結いの事例

・村の若い世代が高齢者の作った野菜や果物を週1回、奄美市の青果市場に送達するシステムを確立している。流通手段のない高齢者にとって、現金収入を得て、さらに良いものを作ろうという励みになっている。最近は、役場が集荷施設を各集落に作り、市場に出している（大和村）。

・世代間でウニの作業を分担し、ウニ採りは若い世代、根気のいるウニムキ作業は高齢者らとそれぞれ分担し、現金収入は分配している。また、一人暮らしの高齢者家庭を回り、半年分の保存食づくりを若い世代との交流で行っている。交流の中で、超高齢者のノウハウが生かされている（奄美市名瀬根瀬部集落）。

・ふぬいの里（龍郷町のグループホーム）の夕食作りでは、入居者同士で夕食作りをする。それぞれが得意を発揮して、できることは自分たちでするという自立の姿勢を関係者が支援している。

・各集落にある無人市は公設民営で、高齢者の生きがいと現金収入の獲得に貢献している。

・母さんの店は公設民営が多く、高齢者が自分たちの作った野菜や手作りのおかずや漬物などを、国道沿いのお店で販売している。野菜作りが得意な人、料理が得意な人が集まって、生きがいと現金収入に繋がっている。

・高齢化や過疎化で先祖のお墓の世話ができなくなることを恐れ、シマの人が共同で利用できる納骨堂の建設が進んでいる。この資金の調達には、シマの出身者の郷友会組織からも多額の寄付金が贈られている。シマの人も、誰かがお参りに来てくれるから安心と語ってくれた(宇検村の7つの集落)。

・奄美全島を挙げての観光事業として、夏版・冬版の「あまみシマ博覧会」(シマ博)を行っている。奄美の伝統物産や祭りなど、観光客に伝統文化を味わってもらう企画が満載である。そこでも超高齢者が活躍している。これまで培ってきた技が生かされている。

このような事例からも、生涯現役で働くことのしあわせや生きがいづくりを奄美の人々の総意が支えていることが伺える。

長寿を支える結いの事例

・奄美は自動車のもみじマークの比率が高い島といわれている。交通量が少なくて、みんながゆっくりしたスピードで走るので、高齢者にとっても安心して運転できる環境がある。

・奄美では、死ぬまで働くのが当たり前の精神風土がある。伝統の大島紬や特産のサトウキビに従事してきた超高齢者には、年齢に合わせた仕事がある。

・奄美では、自立意識が高い。市町村が指導した体操教室は、その後シマの人の手で自主講座として継続している。

・奄美には、今でも民間療法が息づいている。薬草が多く、古くからの民間療法がある。超高齢者は語り部の役割をしている。

・奄美には、超高齢者にとって精神的安寧の世界がある。先祖信仰やユタ神（シャーマン）の存在が人々にとっての精神的安寧につながっている。

長寿を支える結いの事例には、超高齢者は単に支えられる存在だけではなく、それぞれの潜在能力を発揮し、地域貢献できる役割の場も創造している。超高齢者の自立意識を自然な形で支援していることが伺える。

子どもを支える結いの風土

奄美も例外なく過疎・高齢化が進んでいるが、少子化が進んでいるわけではない。女性が生涯に産む子どもの数（合計特殊出生率）が、全国市町村の上位に奄美の市町村が８つ入っている。その要因として子どもはシマの宝として、親同様に、親族・シマの人々の庇護のもとに育つ。シマのお年寄りは自分の子どもや孫のようにシマの子どもを見守っているなど、母親は子育てに悩むことはない。また、豊年祭の場は、シマで生まれた子どものお披露目の場でもある。土俵で親に抱かれ、子どもの名前と、両親の名前、祖父母の名前までが紹介される。それゆえシマの人は、名前だけでなく子どもを取り巻く親類関係まで、把握している。シマの子どもはシマの人々の愛情に見守られて育つのである。

結いの語り

・シマの人々の教育環境への情熱がある。ＰＴＡは、小・中・高校ともシマの人全員の加入で、地域の人々も地域ＰＴＡを支えている。

・小・中学校の運動会には、親だけでなく親戚、シマの人がこぞって参観し、出場・応援する。シマの大きなイベントである。当日は朝からゴザを敷き、みんなで運動会料理を食べ、応援する。ＰＴＡや高齢者の参加プログラムもあり、共に運動会を盛り上げている。

・シマの全戸に教師が家庭訪問している。シマの成人式には恩師として参加する。豊年相撲などにも、赴任した教師もシマの一員として参加する。

・シマの人が支援する子ども育成会は、子どものムチモレ踊り、子どもの稲擦り踊りなど、伝統の祭りを指導し、小さいときから伝統行事の楽しさを体験させている。

・入学式（小一）、卒業式（中三）の夜にはお祝い回りがある。シマの人、職場の人、親戚人、勤め先、同好会の人たちがお祝いにかけつける。特に、高校が近くにないシマでは、中学の卒業後は親元を離れるために盛大に行われる。（ある超高齢者が、「ここでは、一緒に過ごすことができるのは中学までよ」と語ってくれた）

・徳之島町では、町の若い職員などが、シマ単位に小中学生の学習を支援する「学士村塾」が開催されている。地域の教育熱は非常に高い。

・シマの人々は、伝統的に上級学校に行かせることに熱心である。親は貧しい生活の中でも子どもの教育を優先し、生活を切り詰めている。また、経済的理由で上級学校に行けない場合でも、貧しい子どもたちを支援する篤志家の奨学金の制度が古くからある。

これらの事例からは、シマの子どもたちは周囲の大人の暖かい支援の中でシマの文化を学び、育っていく。シマの人々は子どもたちの成長をシマの喜びごととして共有しあい、子どもが育ちやすい環境を作っていることが伺える。

郷友会による知識結の実際

奄美出身者で構成される郷友会組織は、東京、関西を中心に全国に組織されている。会の結成は古く、戦後間もない時期が多い。「戦後の荒廃した中で、数少ない同郷出身者が身を寄せ合い、郷里に思いをはせ、生活のための情報交換、親睦と連帯感、相互共助を目的に発足」したケースが多い。

奄美の郷友会は、全島レベル、市町村レベル、集落レベル、シマ単位に組織されているが、主にはシマ単位に組織され、シマへの帰属意識が強いことが特徴とされる。

郷友会人口は、一世二世を含めると関西が30万人、東京が20万人を超えるといわれ、奄美の第二の人口として、今日の奄美の発展に大きな役割を果たしている。各郷友会もそれぞれの地で、シマの文化を引き継いだ文化イベントや島唄大会、運動会などのイベントを積極的に展開している。

【コラム】シマの運動会

島尾敏雄は島の習俗の中での年中行事の多さ、なかでも台風が過ぎた９月から11月に行われる運動会の多さを記述している。小・中・高校の運動会から職場、同業組合、地区、町単位など、毎週のように運動会がある。地域の運動会にはほとんどの人が参加するので、商店も閉まる。筆者もその情報を知って前日に買い物をした経験が与論であった。

また、各シマで行われる豊年祭や豊年相撲大会などへの寄付や参加もある。田島兼弘（鹿児島大学）の調査によると、郷里に対する支援では、①小学校の記念行事に対する寄付（具体的には図書館・体育館の建設、ピアノ、視聴覚備品など）、②神社の改築・修繕、③公民館・集会所の建設、修繕、④老人クラブに対する寄付、⑤生活会館・福祉会館等の建設時の寄付などがある。また、慰霊碑の建設、災害見舞などに対しても寄付が贈られている。郷里に協力する形態として、過疎化の中での郷里の郵便局への貯金運動や年賀状購入運動などもある。

阪神淡路大震災時には、奄美出身者が多い神戸市長田区をはじめとした被災者へ、全国の郷友会団体や奄美の人たちからいち早い支援がなされ、被災者の生活復興に果たした役割は大きい。

地元、南海日日新聞が発行する「月刊奄美」は、島の情報誌として、本土の多くの奄美出身者・郷友会員に愛読されている。このように、全国各地の郷友会は、高齢化が進むシマの経済面や伝統文化の継続になくてはならない機能を果たしている。いわば、現代版の結いや知識結の実践組織となっているといえよう。

このような、現代版の結い・知識結の実際は、超高齢者の自立と生きがいを支援する役割を果たし、子どもが伸び伸びできる養育環境を支えている。シマのコミュニティが、長寿・多子化を実現しているひとつの要因として見えてくるのである。

徳之島における結いと超高齢者の役割

次に、徳之島における結いや知識結の状況や超高齢者の状況について、徳之島の図書館長Iさんの語りを紹介する。

・シマ口（方言）の見直しと超高齢者の活躍

「奄美は都会からは取り残され、奄美の方言は恥ずかしいものとして戦後は廃れていました。しかし、1980年代になって、島の学識者などの有志の提案で、自分たちの誇りとしてシマの中で伝えていきましょう、という取り組みが起ったのです。生活は、旧暦から新暦になったけど、伝統行事でも旧暦でできる部分は取り入れようということにもなりました。

そういう取り組みの中で、これまで田舎歌と思っていた島唄が、全国の民謡大会で優勝者が出て、全国に認められるようになって、みんなが勇気づけられました。

老人クラブでも何かできることは伝承しようということになった。そのようになったのは、年金が支給されるようになって、余裕が出たからでもあります。それまでは働くだけで精いっぱいで、余裕などなかったのです」

・教育熱心な島

「この島には、ヤンシキ・シキバンという言葉があります。親はおかゆをすすっても、子どもの教育費を工面する風土が、今でも全域に残っています。教育熱心の地域で、人口比にしたらこの地域は毎年東大入学率が全国一です。今でも、学士村塾という、土曜日に集落単位に、役場の若い人が学習を教える制度があります。特に、この図書館のある亀津地域は、亀津断髪といって、明治の初め、率先して髪を切って新しい時代に備えたこともあり、教育熱心で、進取の気性がある地域といわれています。公民館講座も盛んで、最高94歳の人が参加しています。短歌や習字、囲碁など、いろいろあります。児童委員なども積極的で、子どものいる家庭と常に接しています」

・超高齢者の気概と敬愛の風土

「徳之島への基地移転反対には、超高齢者が率先して参加しました。手作りのプラカードや旗を掲げたり、率先してマイクを握っていました。この方々は、米軍統治下で食糧難を経験し、返還運動を経験した人達だからです。それは、知識としてではなく、体に染みついているようです。

この辺では、88歳にあやかりたいと88歳の方の白い髪を取って、正月に分ける習慣があります。長寿は氏族の誇りなのです。昔は長生きできなかったからです。

こんな事例があります。84歳で入院して退院したら、踊りがリハビリになったという人がいました。歌って踊っているとストレスがたまらない。地域のつながりにもなっています。

ここは連帯があって、極楽浄土です。祭りのある生活は人々のきずなを強めます。祭りはなくなってはいけないと思います。昭和42年ごろは、シマ口はためにもならないと言われたのですが、高齢者の歌をテープにとって保存していてよかったです。今では、シマ口の復活に取り組む貴重な資料となっています」

Iさんが語られた、基地反対の際の率先した超高齢者の行動からは、まさしく地域の教師的役割・存在を果たしていることが伺える。これらが可能になったのは、高齢者を敬愛する習慣と、年金の支給によって生活に余裕ができたことが大きい。徳之島が健康長寿の島であることを改めて理解できたお話であった。

・夏目踊りにみる利他性

徳之島町の井之川集落に伝わる夏目踊りは、国の無形文化財に指定されている。この集落に住む郷土史研究家のMさんは、次のように話された。

「踊りは、集落総出で夜更けから集落全体を練り歩き、それは夜を徹して行われ、翌朝になることもあります。太鼓を叩いて歌って踊って、海の向こうのネリヤの神に豊穣の祈願をするのです。夏目踊りの踊り手の最高は90歳代。来年は踊れるどうか分からないからと、毎年参加しています。100歳の人でも踊りが来る深夜2時頃まで起きて待っていてくれ、杖をつきながら迎えてくれます。シマの生活にとって、歌と踊りは生活の一部になっています。歌うことによって人は励まされ、精神が鼓舞されます。歌と踊りは長寿に関係すると思っています」

「集落の冠婚葬祭には歌と踊りは付き物です。飲んだり食べたりしながら歌い、踊ります。葬儀の際には死者を送る歌がこの集落には残っていて、今でも歌われています。しかし、転作によって稲穂が消えて行事も消えました。この行事が残っているのはこの集落だけです」

ここでも、伝統行事は集落の人々全員の楽しみごととして根付いている実態があった。

・**外部評価からの自信**：「平成元年ごろ、夏目踊りを東京で披露してほしいということで踊ったら、1500人が集まってくれました。そこで、専門家の先生に高く評価されました。そのことで、それまではつまらないと思っていたシマの伝統行事に対する、シマの人の価値の再認識になりました」

・**シマの子どもの生き方**：「ここには、自然と共に生活がありますから、悪いことをして、人間にはばれなくても、悪いことをしたら、お天道様にばれる。道を堂々と歩く生き方をしなさいと小さい頃から言われて育つのです」

・高齢者を大事にする風土：「お年寄りを大事にすれば、自分も大事にされ、子や孫も大事にされる。お年寄りは生き神様だからです。昔は長生きの人はいなかったから、88歳はお祝いを盛大にする習慣があります」

・利他の心：「ここには、「チュウノコシヤ」という言葉があります。他人のことをすることが自分のためになる。悪いことをすると自分だけでなく、子や孫に悪いことが起きる。良いことをすれば、子や孫も良くなる。しあわせが順番にやってくると信じていますので、悪いことをする人はいません」

・島唄のこと：「シマに伝わっている口承文化が、心を育てています。語るなかで、歌うことで、田の神様を喜ばせるのです。そのことが豊作につながるのです。島唄には、恋の歌もたくさんありますよ」

・稲霊《イナダマ》・言霊《コトダマ》のこと：「稲は魂を持っている作物です。魂を持っている作物は稲だけです。だから、餅には魂があるのです。ここでは、めでたい時、葬式の時、仏様に備えます。その時には、声をかけます（無言では通じないから。言葉には霊力があるから。ユレユレ、言霊の世界がありますよ）。（奄美）大島は裏声の世界です。それは言霊の世界です。島唄には、逆歌、この世にはありえないようなことをうたう歌もありますよ。集団の歌、お正月の歌、歌うことで心は癒されます」

これらの語りには祭りや島唄が人々を元気にし、長寿を実現していることを伺わせる。

筆者らは、祭りの練習を見学に行く機会があった。夕方、各自おかずを持ちあい、食べて、飲んで、談笑した後に練習が始まった。太鼓や踊りは、最初はゆっくり。そして、だんだんとテンポが速くなり、会場の公民館は陶酔していくような熱気に包まれていく。人々が一体となって行う祭りは精神的なストレスの解消となり、集落の紐帯の源にもなる。祭りは多くの効用をもたらすことを実感した。

「浜踊り」の伝承を通じた多世代交流

徳之島文化協会のKさんの語りを紹介する。

・保存会のこと：「亀津の浜踊り保存会を主宰しています。島唄、民謡が廃れていた時に、奄美の歌者が島唄をうたって日本一になりました。ここでも、昭和40年代、シマの結束として浜踊りを義父が結成しました。しかし、一時廃れてかけてなくなる恐れがでてきたので、公民館で伝承することにしました。伝承の地に記念碑を建てています。今は亀津南区の公民館で毎週水曜日に踊りの練習をしています。常時40人くらいが集まって、若い人は30代から90代までいます。91歳や92歳はバリバリですよ。80代は10人で、9人は女性です。女性のパワーがすごいのです」

・文化に関して：「鹿児島は男尊女卑の地域ですが、文化に関しては男女同等です。歌遊びには恋の歌もあります。踊りは男性が中の輪で、女性は外側の輪で踊ります。浜踊りは12曲を7曲にして、公民館の壁に歌詞を張り付けて練習しています。この歌は、種をまいて収穫までを歌う内容です。歌うこと、踊ることは、健康増進につながると思います。ときには仲間内で、口げんかすることもありますが、コミュニケーションが大事ですし、大きな声が出ると、生きがい、張合いになります。若い人との交じわりの場でもあるし、踊りを伝承するという、目的意識があるのです」

・シマ口・方言：「最近は方言を使いましょうということが提唱されています。島口大会では、高校生では、①勉強ができる子、②スポーツができる子、そして、③シマ口、島唄ができる子という基準、３つ目の評価につながるのです。昭和40～50年代から、方言を使いましょうという運動が提唱されて、文化協会では民謡やシマ口を使うようにしています」

徳之島の人々の語りには、かつて田舎歌と卑下していた島唄が外部から評価され、そのことが、シマの人々の自信になったこと。それが契機となってシマ口、島唄が復活し、シマのコミュニティも強固になっていったことが伺えた。

ここでも、歌や踊りは健康に良いという語りや、伝統文化を共有することの悦びが同様に語られた。コミュニティのなかに歌や踊りのある生活は人々を生き生きさせ、同じ時間を共有することで連帯感が生まれる。そのようなコミュニティには、年齢に関係ない交流があり、高齢期の孤独やさみしさのない世界が形成されている。

3　集落の区長調査からみるシマの紐帯と超高齢者の役割

奄美の全市町村の協力を得て、全集落（３７３）の区長さんを対象に行ったアンケート調査結果（２０１７年）から、シマの資本（自然・文化・社会関係）の豊かさの一端をみていくこととする。[22]

奄美のシマの紐帯《チュウタイ》の強さ

自然環境や伝統行事、地域の交流やつながり、結いの習慣など12項目を集落の「紐帯」の指標として回答を求めた。当てはまる（かなり・比較的）の回答の高い順に示すと、「公民館は身近な集まりの場である」は95％で、ほとんどの集落が当てはまるとしている。次いで、「昔から知っている人が多い」は89％、「地域のつながりが残る」は82％、「収穫した野菜などのやり取りの習慣が残る」は80％であった。

集落全体を俯瞰している区長の回答からも、集落内での交流や相互扶助の習慣が8割を超える状況が明らかとなり、改めて、奄美の集落内の紐帯の強さが示される結果となった。

特に、ほとんどの集落が「公民館が身近な場である」という回答は、人々の集まりの頻度の高さや話し合いによる自治が機能していること、新しい知識や情報を入手できる環境にあることが伺えた。情報格差がなく交流の中で安心して暮らせることが、人々の紐帯を強固にしているとみることができる。

集落の（共同・年中・伝統）行事の多さ

共同行事の多い順では、清掃・草刈が250件とトップで、次いで墓地管理121件、防火訓練115件、道路の維持107件となっている。多くの集落で環境保全や自治防災活動などの自主活動が行われている。シマの自治力を示す指標となっている。

年中行事では、学校関連行事がトップを占めている。学校職員の歓送迎会226件と文化祭などの学校行事220件が上位を占め、次いで祭り・豊年祭211件、集落独自の行事、正月行事、スポーツ大会・運動会、敬老会と続いている。

この結果からは、集落と学校とのかかわりの強さ、祭りや集落独自の行事、運動会などが頻度高く行われている実態が明らかにされた。集落内の行事が多く、何かと集まる機会が多い状況にあることが、孤独のない環境や親密な関係性を作り上げているようである。

伝統と習慣の継承の強さ：冠婚葬祭の参加など、伝統と習慣の継承を7項目で尋ねた。当てはまる（かなり・比較的）の回答の高い順に示すと、「冠婚葬祭に参加する習慣（90％）」、「伝統行事や祭り・運動会の参加」（86％）、「祭り・伝統行事を取り組む習慣」（86％）の3項目で80％を超えるなど、伝統行事と習慣の継承は高い状況が伺えた。

老人クラブ加入率の高さ：老人クラブ加入率は全国的には年々減少し20％を下回っているなかで、奄美の加入率の平均は53％と高い状況にあった。内訳で見ると、老人クラブのない集落と全員が加入している集落がともに同じ程度で存在していた。

社会関係資本の豊かさ：社会関係資本は、信頼、互助、地域力を示す6項目で尋ねた。「挨拶を交わす」（97％）、「集落の人は信頼できる」（93％）、「一緒に活動している」（88％）、「助ければその人から助けてもらえる」（86％）「困った人には手助けする」（85％）で、いずれも80％を超えるという状況にあった。

集落高齢者への評価の高さ：高齢者評価を5項目で尋ねた結果では、上位には、「長寿を喜ぶ習慣がある」（91％）、「集落の高齢者の生活は楽になっている」（90％）の2項目で9割を超えている。次いで、「集落に健康長寿者が多い」（78％）、「敬老会行事は若い人も参加している」（75％）、「生きがいを持った高齢者が多い」（72％）の順位で、高齢者評価は高い状況にあった。インタビューで語られた敬老の習慣や健康長寿者の多さが、ここにも表れていた。

長寿の地域要因：経済資本ではない奄美の豊かさ

健康長寿の地域要因について尋ねると、「自然環境がよい」（154件）がトップで、次いで「近隣などとの交流がある」、「馴染みの人がいる」、「親を大切にする」、「年中行事の機会が多い」、「新鮮な食べ物がある」、「高齢者を尊敬する習慣がある」、「現金の少ない暮らし」、「伝統習慣が引き継がれている」と続いていた。

この結果、奄美の長寿の地域要因は、第一に、自然資本（自然・食べ物）、第二に、社会関係資本（交流・馴染みの人）、第三に、文化資本（祭り・伝統行事・習慣）である。経済資本では測れない豊かさが長寿の要因であることが伺われた。

高齢者に関連する項目

高齢者と関連する項目を統計的に検定したところ、有意な関連が示された項目は、①集落の紐帯の強さと高齢者評価の高さ、②集落の紐帯の強さと老人クラブ加入率の高さ、③健康長寿者の多さと伝統や習慣の継承、④老人クラブ加入率の高さと若い人の参加、⑤老人クラブ加入率の高さと社会関係資本の豊かさであった。

健康長寿者やクラブ加入率が集落の紐帯や伝統と習慣の継承、そして社会関係資本と関連するという結果は、超高齢者が集落で重要な役割を占めている表れといえよう。[23]

4　シマのコミュニティを支える行政・報道機関

地元新聞社の役割

奄美の伝統文化の継承を後押ししている、地域メディアの存在は大きい。奄美には、人口規模の割には新聞社が二社ある。これは奄美の歩んだ歴史と強い関係がある。前述したように、敗戦で米軍統治下の時代に、孤島になった奄美には日本復帰協議会が結成され、復帰運動が激しくなった。この時代、精神的にも経済的にも苦しい状況のなかで、文化・芸能はむしろ盛んになった。日本復帰までの間に日刊紙や雑誌が創刊され、小説、詩、短歌、俳句が盛んになり、新しい民謡も生まれている。

南海日日新聞は、「奄美の歴史に学び、島の自然、文化を大事にし、島の人たちと苦楽を共にしつつ、時には毅然とした論陣を張る」を基本姿勢に生まれた。現在の発行部数は2万３８７５部（２０２０年1月）である。奄美の世帯数は４万９５１７世帯（27年国調）であるので、半数の世帯が購読者である。このほかに、南海日日新聞社は、「月刊奄美」を発行し、本土にいる約60万人ともいわれる奄美出身者と本土を結ぶ役割をしている。

奄美新聞は、「郷土と共に歩み、明日の奄美を築くため、産業経済の発展、福祉の増進、自然保護、教育振興、伝統文化の振興」を掲げている。南海日日新聞と差別化を図り、奄美全島の各種イベントや人の紹介など身近な話題に力を入れている。発行部数は約1万１０００部である。南海日日新聞社の半分程度の発行部数であるが、身近な記事は奄美の世帯の２割に読まれている。

日本復帰後に、標準語推進運動や新生活運動によって、奄美の方言や伝統文化が薄れかけた時期がある。しかし、1980年後半から奄美の文化継承活動が始まり、その文化支援に地元紙は貢献してきた。現在でも、地元の伝統行事に関する記事は多く、「島唄大会」などもきめ細かく主催し、全国の大会で優勝者を出している。

地域メディアの支援

奄美大島を例にとると、前述した地元紙の南海日日新聞、奄美新聞のほかに、地域メディアとして、ケーブルテレビ2社「奄美テレビ放送」（奄美市を中心としたエリア）と「瀬戸内ケーブルテレビ」（加計呂麻島、請島、与路島を含む人口1万人の瀬戸内町エリア）がある。コミュニティFMラジオとしては、あまみエフエム、ラジオサポータ（龍郷町）、NPO法人エフエムうけん、エフエムせとうちの4局がある。標準語化が進む奄美で、島唄やシマ口が聴け、町やシマの八月踊りの行事などの身近な情報を提供する役割を担っている。

過疎化や高齢化が進み一人暮らしの高齢者が多い瀬戸内町では、大半の時間を地元のシマ情報や番組を放送していて、一日中島唄を聞いている高齢者も多い。「ケーブルテレビで島唄を聞いて思い出しているから安心と、離れた家族からも感謝されている」と、瀬戸内ケーブルテレビ会社代表の話が紹介されている。

これらの地域メディアに携わっている人々のなかにはUターン組も多く、一旦奄美を出たことによって、奄美の良さに気づいたことが契機になっている人たちが多い。だからこそ、奄美の文化を伝え、奄美の人々が奄美の文化に誇りと自信を持つことを目指している。そこに共通点が見出されると金山は指摘する。[24]

シマ社会を結ぶ自治体広報紙

シマの人々を結ぶ情報として、自治体の広報紙の役割も大きい。奄美の広報紙の特徴は住民の名前や顔を多く登場させていることである。都会では考えられないことである。

奄美の市町村の広報誌には、代々続いているシマ毎の結束を意識した、地域情報の編集が求められている。また、シマ毎の歌や踊り、地域の情報や個人の情報も重要とされる。例えば、瀬戸内町ではシマごとの情報には住民の誕生祝い、結婚祝い、お悔やみなどが含まれている。

奄美らしいものに、香典返しがある。故人が住んでお世話になったシマや社協に香典返しを寄付する習慣である。「ゆいまーる」という言葉で、「ゆい」は結い＝共同、「まーる」は順番を意味する。相互扶助の精神が大切され、それが情報として伝えられるしくみがある。

長寿を支援する行政

長寿者の長生きを応援する制度として、行政や集落、企業、老人クラブからの長寿お祝い金（品）がある。奄美では、行政から100歳を超えた人に、毎年町長さんや副町長さんが自宅にお祝いを持ってくる習慣がある。祝い金は全国的には、高齢者の増大の中で減少傾向にあるが、奄美地域には残っている。現金支給についての是否はあるものの、現金収入が少ない奄美の超高齢者には、自分のものよりも家族や孫に何か買ってあげられると喜ばれている。

規模の小さい町村ほど、高額になっている傾向にある。高齢者に対する配慮を示す施策として、有効ではないかと思われる。祝い金に対する高齢者の語りを聞く限り、健康長寿の要因にも少なからず貢献していると筆者は思っている。

おわりに：シマの結いと超高齢者

シマの超高齢者の潜在能力に注目すると、彼ら／彼女らはシマの無形の文化資本・公共財として、シマの伝統文化を後世に伝え、大島紬などの伝統産業を興隆させ、地域振興に寄与してきた。そのような地道な努力が実って、長寿の時代に、健康長寿としあわせな老いを実現している。奄美の固有の自然資本、文化資本、社会関係資本の存在が、超高齢者の長寿と関連する要因として浮かび上がってくるのである。

人々の語りを奄美の歴史的、風土的自然の中で位置づけて総括すると、特に、神が希望のシンボルであり、人間的な結いの大切さを教えていることを共通点とする。その風土の中で、大らかな精神性や利他の心が養われ、お互いを尊重し合う相互扶助や結いの習慣が機能している。

そして、ここ奄美には、一人ひとりに出番と生きがいや、使命感を実践する場を作る力量がコミュニティのなかにある。この力量は、単なる文化的伝統の継承というだけでなく、人々が学びあって、成長しあう場としての意味を持っている。都会では、祭りや伝統行事が廃れ、地域のつながりが希薄になっているが、奄美では、時代の風を入れながら、共同体の良さを継承している。そこには、シマの人々の度量がある。

第5章　「目標は百歳」と語る超高齢者たちとその家族

　ここでは、奄美の超高齢者や百寿者の暮らしや長生き観などについて、二つのインタビューから紹介する。一つ目は、超高齢者本人の語りであり、二つ目は、百寿者と同居する家族の語りである。超高齢者は、徳之島町と宇検村の11人。百寿者家族の協力者は奄美市、龍郷町、伊仙町、天城町、和泊町、与論町の10組のご家族である。分析は修正版グラウンデッド・セオリー・アプローチ（M－GTA）で行った。超高齢者のインタビュー結果は図1のとおりである。

1　日々の営みの次元から考える

《確立した生活スタイル》

自宅居住の超高齢者は、孤独感や過去に浸るという後ろ向きの傾向にはなく、日々の生活に満足

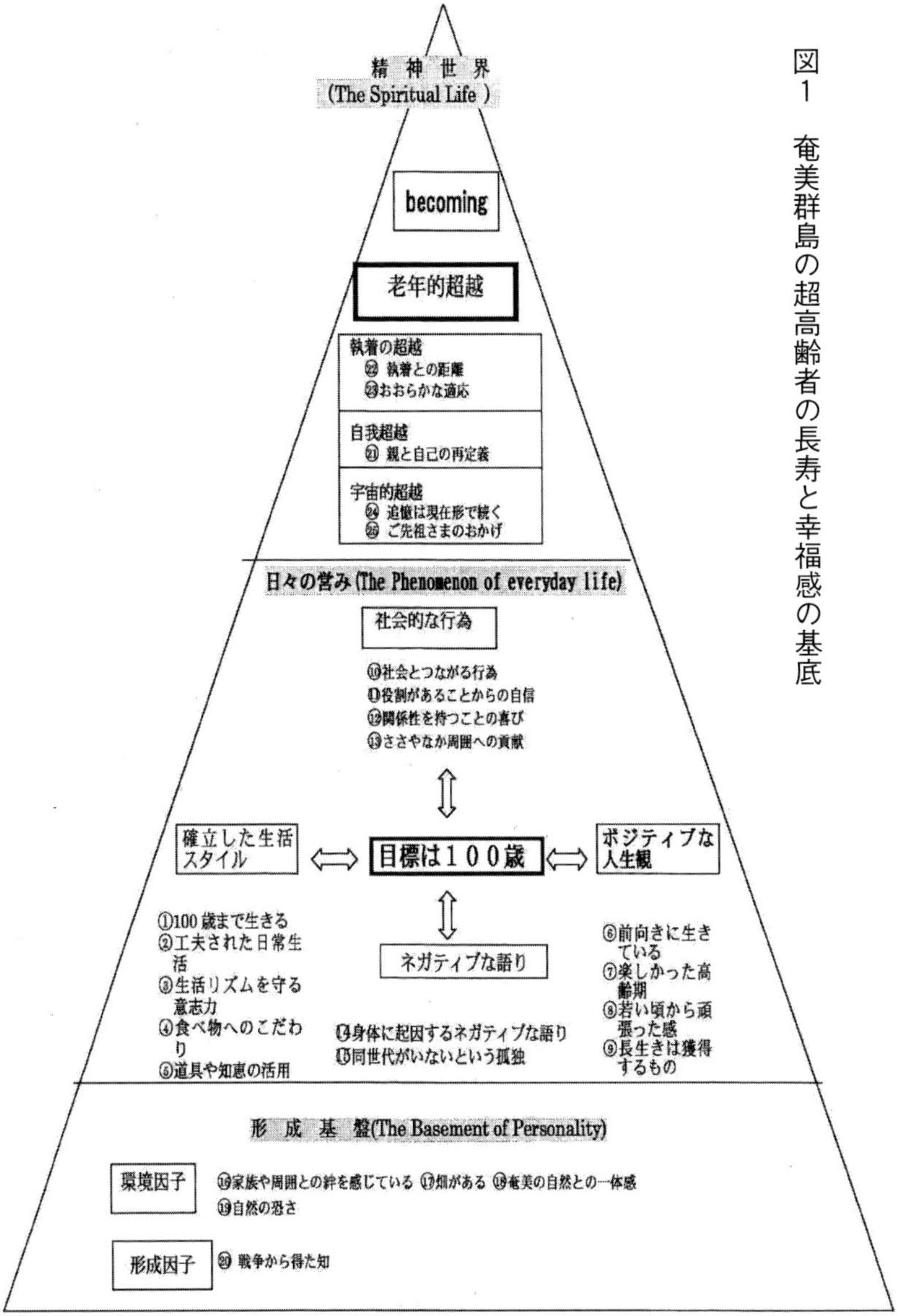
精 神 世 界
(The Spiritual Life)
becoming
老年的超越
執着の超越
㉒ 執着との距離
㉓おおらかな適応
自我超越
㉑ 親と自己の再定義
宇宙的超越
㉔ 追憶は現在形で続く
㉕ ご先祖さまのおかげ
日々の営み(The Phenomenon of everyday life)
社会的な行為
⑩社会とつながる行為
⑪役割があることからの自信
⑫関係性を持つことの喜び
⑬ささやかな周囲への貢献
確立した生活スタイル
目標は１００歳
ポジティブな人生観
①100歳まで生きる
②工夫された日常生活
③生活リズムを守る意志力
④食べ物へのこだわり
⑤道具や知恵の活用
ネガティブな語り
⑭身体に起因するネガティブな語り
⑮同世代がいないという孤独
⑥前向きに生きている
⑦楽しかった高齢期
⑧若い頃から頑張った感
⑨長生きは獲得するもの
形 成 基 盤(The Basement of Personality)
環境因子
⑯家族や周囲との絆を感じている ⑰畑がある ⑱奄美の自然との一体感
⑲自然の恐さ
形成因子
⑳ 戦争から得た知

図１　奄美群島の超高齢者の長寿と幸福感の基底

感を持っており、自分に適合した自立生活を営みながら積極的に１００歳を目指している。

そこには、〈工夫された日常生活〉がある。「できるものなら１００歳まで生きたい。こう考えるんです。あと、10年気張れたらと、そんな気持ちでいます」という男性。

「もう年金だから、余り使わないように工夫して、野菜食べて。でも交際費がいるの。友達とか。そう、使うのは交際費」と語る女性。

またある男性は、「長生きは香辛料を食べないから」と食べ物へのこだわりを話す。一人暮らしで農業をしている男性は、「給食のおかずは一つも残さず食べます。お弁当で十分。ちょうど4品ぐらい入っているので、晩酌のおかずはそれで間にあいます」と、それぞれが自分に合うように、〈工夫された日常生活〉を送っている。

そして、〈生活リズムを守るという意志力〉がある。現役で商店を営んでいる男性は、「今ね、朝５時頃目覚めて、５時30分にラジオ体操に出かける。そして6時頃帰ってきて食事、6時50分ぐらい。そして少し寝る。それからね、８時35分までテレビでニュースを見る。それからトイレに行って、９時には店を開ける。朝から一日やることが決まっていて、３６５日のうち３６０日はこの流れで行っている。後の5日は旅行。だから身体の不自由は余り感じない」など、〈生活リズムを守るという意志力〉を語る。奄美の四季を通じた温暖な気候が同じ生活スタイルを保障し、生活満足感を提供している。

一方で、〈道具や知恵の活用〉がある。「家の中でもこの杖です。杖は離せんです。杖を使っているので不自由はないです。それでこのトラクターに乗る仕事は出来ます。立ってする仕事はもう出来んですけど、運転操作や機械作業は出来るんです。畑の整備、植え付けの準備は、私が全部一人でやるんです」と農業現役の男性。

無人市場に野菜を出している女性は、「野菜なんかいろいろ作っているでしょう。だから種蒔いたら、そして、また支払ったり払わなかったりするのがあるでしょう。（家計簿）付けていればお金、いくら積み立てしたとかね。（ふふ）」と、家計簿を日記代わりにして超高齢期に適応する工夫を語る。備忘録としての家計簿記帳、農作業の時期や支払いの確認、洗濯物の出し入れに工夫した竿の活用や、二階に上がるのが億劫になって平屋へ住居を移動した事例など、身体機能の低下への自衛手段として、〈道具や知恵の活用〉が語られた。

《ポジティブな人生観》

精神面においてはポジティブな人生観がある。その一つに〈前向きに生きている〉がある。過去よりも超高齢期の今を楽しみ、前向きに生きることで一日の時間経過を早く感じている。しかし、過去には辛酸な経験を経て、そして今日がある。「（火事で何もかもなくした体験を持つAさん）私、もう過ぎ去っことは何も思わん。こういう考えで今、生きています。もう過去の悩みは考えんごとしています」と言う。商店を営む男性は、「（若い頃と）別に変わらない。まあ、くよくよしないこと。財産なんかに拘らない。娘いるのであとはこれにやる。やるものないかな」と笑って語る。

ポジティブな人生観を支えるもう一つに、〈若い頃から頑張った感〉の持続がある。頑張ったということが現在の生活満足感を高め、今を主体的に生きる原動力になっている。

「今考えたらようやったと思いますね。若い頃はもう本当にがんばった。さとうきびの刈り入れ時は朝4時から起きて畑に出おったです。まあ、お陰様で、ですね、土地があって良かったと思いますね」と今も現役の男性。

「子どもを学校に出すとき大変だった。夜11時まで織って、朝早く行って人より早く織ったよ。子どもは小さいときの苦労を知っているからお金を送ってくれる……苦労は昔からずっとしてきましたよ」と一人暮らしの女性。

「もう、（苦労は）あるかぎりしましたよ。若いときは戦争の体験もあるし、大変だった。ほんと、大変だったよ」と戦争中の苦労を話す女性。

「27歳から、店経営。大変は大変。今でも大変ですよ。慣れてきましたが……木材も扱っていたよ、今はしてないけど。60年。うちの家内が毎朝早く起きて支えてくれた」と、改めて内助の功を振り返る男性。

さらに、超高齢期を受容している人にとって、〈楽しかった高齢期〉がある。楽しかったこと、やっぱし60代ね。60代が楽しかった。老人クラブに入って楽しかった。……今、老人クラブの活動が一番多い」と語る。

「60歳から、子育てが終わってからが楽しかった。若い頃は子どもを育てるのに一生懸命だった。子どもが大きくなっていろいろ連れて行ってもらったですよ」

自立した超高齢者にとって、楽しかった時期は60〜80歳代の高齢期であるということは、示唆的である。高齢期の入り口は現在から遡って20〜30年前で、体力に自信があり、子育や仕事から解放され自由に使える時間が到来したという感じなのであろう。

逆に、若いころが楽しかったという語りは、男性一人のみであった。超高齢者の青年期は戦争の影響が色濃い時代であったということもその要因かもしれない。

ポジティブな人生観の四つ目に、〈長生きは獲得するもの〉という人生観がある。長生きは遺伝より食生活や生活習慣で、自分で獲得するものであり、努力の積み重ねの成果という意識がある。

《社会的な行為》

超高齢期の日常生活においても、積極的に〈社会とつながる行為〉を行っている。社会の動きや情報を知ることは社会とつながり、自立意識を高めるものである。新聞の閲読やテレビのニュースを見るなどは、その象徴的な行為である。同世代との集まりの場やおしゃべりの場も、社会とのつながりを確認出来る場となっている。「毎日、全国紙のAと地元紙の二紙読んでいます。これは小学校を卒業して大阪に行ったとき、兄がA新聞を購読していたので、それからずっとです」

「新聞は一通り目を通します。見出しをぱらぱら、大事なものを」「O新聞（地元紙）、昔はじいさんが見るから全国紙のY新聞も」（女性）。「一面からみるよ、毎日。新聞は三紙。それが日課だけど、だいたいよ。ゲートボールに行かないといけないから」（男性）

超高齢期においても新聞の閲読率は高い。拡大鏡を使用しながら、多い人は毎日三種類読んでいる。新聞閲読の高さは意外な回答であったが、それはもっともであるかも知れない。自分の足で立っていると自覚する限り、足下の状況把握をすることは当然のことだろうから。超高齢期においても社会からの離脱とは異なる、社会とつながる積極的な行為がある。

また、社会的行為の二つめに、〈役割があることからの自信〉がある。超高齢期においても収入のある仕事や役に立っているという自信は、その人の自立生活を支え、生き生きさせるということである。

「子どもが毎日来てですね、私は監督しなあかんので、あらゆる仕事の段取りを打ち合わせして、そして、畑に出る。……息子、あれなんかに私が日当を払っているよ」と農業現役の男性。

「(手入れされた庭を指して）あのみかんですね、あと二カ月したら三倍ぐらいの大きさになるんですが、東京に娘婿がいるのですが、それなんかに農薬使っていないので重宝がられてですね、毎年送っています」と一人暮らしの男性は語る。

「(毎朝9時から）お客さんは来ないけど（店）開けている。このあと10時まで店番する。娘が来たら山や畑へいく」

超高齢期になっても役割のあること、人の役に立つことができる喜びこそ、生き生きと暮らす秘訣であることを教えられる。

社会的行為の三つめに、〈関係性を持つことの喜び〉がある。超高齢期においても日常生活の中で自分自身を生き生きさせる場、仲間との喜びを感じる場など、社会との関係性を持つことが、生き生きの原動力につながるということである。

「三味線、明日また行くけど、(75歳から三味線)。歳取っても続けようと思っている。上達はしなくても。自分の家でぼっとしているよりね、皆が大事にしてくれるから」

また、「講演会に行くの、講演聞いたら自分のためになるから。うちでいるより色々行く方がいい。島で活動の時間を作ろうと思えば……畑仕事は前の日にしていくとか、いろいろできるからね」と語る。

「教育委員会でいろいろ教養講座がありますので、行くようにしています。対象は若い人から年寄りまでだから。色々な会合があって、必ず行きます。もうみんなが退屈というのが不思議なくらい（笑い）、忙しいばっかり」と別の女性は語る。

社会的行為の四つめに、〈ささやかな周囲への貢献〉がある。自分の生活は始末してでも子どもや孫、またシマの伝統を次代へつなげるなど、自分にできるささやかな貢献行為がある。

「昔の八月踊りね、青年時代に稽古したよ。若い人は、今はできないですよ。だから公民館で教えたりしてね。踊りはすぐ出来るけど、歌がね、なかなか歌えないの。昔の恋の歌だから、男と女のかけあいで歌わないとね。畑で逢い引きよ。ふふ」

「若い人に和裁を教えていました。受講生がいなくなって辞めました。（教えてくれと言われたらそのときに考えますよ（笑い）。ついて行けないかな」

「郵便局にね、孫の保険を掛けてるの。10月に一つ満期。10年間、二つ掛けている」は、無人市場で収入を得ている女性である。

島唄を若い人に伝承する行為は、自分の生きてきた足跡が残せることでもある。また、子や孫からの援助を、逆に自分が孫へ出来る精一杯の気持ちで返す行為には、まだ出来ることがある喜びでもあろう。それらの行為は気負いがなく、自然体でもある。超高齢期になっても誰かの役に立っているという《社会的な行為》への指向性は強い。超高齢期を生き生きと暮らす重要な要素となっている。

《ネガティブな語り》

しかし一方で、ネガティブな語りがある。一つは、〈身体に起因するネガティブな語り〉である。

自立している超高齢者にとっても、歳と共に身体に起因するネガティブな語りは避けられないようだ。「歳をとれば、耳は遠くなるし目は悪くなる。本当にそうですよ。80代まではどこも悪くなかったけどね。それからは次々とね」

「（詩吟の）練習場が三階に移転して、階段を上るのが大変になって、それで辞めて」。「私はゲートボールでなく、グラウンドゴルフをしよったけど、最近足がこんなになったのでしよらんで、辞めた。去年ぐらいまでやっていましたよ」

超高齢期になると、避けては通れない身体的な衰えがやってくる。人によって身体機能の低下の時期は異なるが、92歳の女性は80代までは全くどうもなかったという。85歳で夫との思い出の地に一人で海外旅行に行った女性は、89歳の現在は、身体の状況についてネガティブな語りをするようになっている。

もう一つのネガティブな語りは、〈同世代がいないという孤独〉である。超高齢期になると、同世代や親しい友達が亡くなっていて、共有する話や一緒に行動できる同世代がいないという孤独感が深まる。

「一緒に動く人がいないから。友達はみんな亡くなった。主人もそればかり言っていた。友達が出来る機会はなくなったから、（活動は）もうできない」

「もうここの部落には、同窓生はいないですよ。そうですよ。歳とればね」

「人間は運命ですよ。同級生はいないの、一人も。兵隊にいってね。皆んな亡くなったから」

「この間ね、文通していた友達が亡くなったの。遠くにいた友達で、歌を書いたりしていた。その友達が亡くなって、楽しみが減りました」

超高齢期に至って、同年代の友達がいないという喪失感は深い。日常行動を制限する要因ともなり、楽しみの減少でもある。友達がいないという発言は行動的な女性から語られた、唯一のネガティブな発言であった。このような〈ネガティブな語り〉は、80代後半から90代に進むにしたがって強くなる。しかし、それに拘って消極的になるというふうでもない。超高齢者たちは老いる身体を受容し、死を受容し、身体状態の良い・悪いの二元論を超え、新たな世界観につながる老年的超越へと導かれるようである。そのような兆候の発言が多々、見られた。

2 形成基盤の次元から考える

《環境因子》

自立生活を支えているものに、〈家族や周囲とのきずなを感じている〉環境がある。長寿のお祝いは、超高齢者にとって家族のきずなや信頼を高めるものであり、さらに長生きしようという思いを強くするようである。

「去年は、私の88歳の米寿の祝いをしてくれました。子どもたちや孫に良くしてもらいました」、「そんなに長生きできないだろうと97歳の時、百歳の時に、親戚が集まって、祝いごとをしました。その時は70~80人が集まって、ばっちゃんは、孫にお年玉をあげたりしていた」（女性101歳の家族）

「子どもは小さいときから苦労したのを知っているから、いろいろ送ってくれる。一人暮らしは心配だから同居しよう、おいでと（息子は）言ってくれるけど、ここがいい」（面談中に近所の人がニガウリの味噌漬け、豆みそを持って来られた。）こんなして、みんないろいろ持ってきてくれる。いつも貰っているから、食べ切らんよ」

奄美の近隣環境は超高齢者に支援的である。長年の近所づきあいが、「差し上げる・頂く」互助の関係を自然に作り上げている。超高齢者の言葉は、子や孫、近隣の支援に対する感謝の言葉で溢れ、思いやりのきずなが超高齢者達を生き生きさせている。

また、101歳の今を自宅で過ごすことができる背景には、奄美では100歳に達する人がいるのは、子が親を大事にしていることの証拠で、親族の名誉と評価される。地域が長生きを後押ししてくれているのである。

また、〈奄美の自然との一体感〉がある。「ここに生まれてありがたいと思います。お金がなくても生活できる」、「こんな島だけど、ここは住みよい」と、今ある環境への感謝の気持ちに満ちている。「ここが一番」、「ここに暮らして良かった」という思いを異口同音に語る。そして「こんな島だけど」に、離島として辺境視された歴史、敗戦後の8年間に及ぶ辛酸な暮らしなど、歴史体験者の思いが滲む。

加えて、自分の〈畑がある〉ことは、超高齢期にも出来る作業の場が与えられ、ささやかながら実りをもたらしてくれる。収穫物を子どもや孫、近所の人に配り、喜ばれることによって、普段の受け身的な立場から役に立っているという逆転した立場になれる。畑は超高齢者に能動的な感覚をもたらす存在である。

一方で、ハブ（毒蛇）、台風、珊瑚礁という〈自然の恐さ〉が潜んでいる。「田舎で一番怖いのはハブ、何もしなくても向かってきますよ」という語りがある。「台風で家は全壊でした」という語りに、台風の常襲地に住む人の大変な暮らしを見る。

また、「魚釣りね、85歳で家の人から禁止された。珊瑚礁の上を歩くと転んだりして、危険だからね。ゴツゴツしていてね」という語りになっていく。

超高齢者は長い生活史の中で自然の優しさとそこに潜む自然の怖さを知っているし、それを含めて奄美の自然と共存している。

《形成因子》

このような超高齢者が100歳を目指す能動的な行為を示すベースに、超高齢者は死と向き合った戦争体験世代ということがある。現在の生き方には〈**戦争から得た知**〉が人格基盤を形成している。

「一番辛かったのは戦前・終戦直後」、「ここの砲弾がすごかった。危ないから移ったら、今さっき居た場所に落ちた」という語りや、「同級生は戦死して一人もいない」という語りがある。

ある男性は自分が生き残っているのは奇跡に近く、「それをここの言葉で生き扶（富）というのです。扶（富）は運と言うことです」と感慨を込めて語った。

人は人生途上において自らの生きる意味を追求し、体得していく知がある。それぞれの所属する社会環境や習慣や風習、生活文化の影響を受けながら学び、人格を形成していく。

奄美には「生き扶（富）」という言葉を含め、地域や生活から形成される知の形成がある。超高齢期は喪失、危機、痛み、喜びなど、さまざまなライフイベントを体験し、それぞれにローカルな知が形成され、人格次元ではそれぞれの精神世界につながっていく。

3　精神世界の次元：老年的超越

《老年的超越》の次元

超高齢者が到達していく精神世界は、さまざまな社会的・個人的危機が人格形成の基盤となる。戦争は最大の社会属性的危機であり、超高齢者は死を見つめた世代でもある。また、精神世界の形成は日々の営みと連関し、100歳未満の超高齢者にとっては、『目標は100歳』という一つの現実的な生の目標が生まれる。それらが促進要因となって《老年的超越》が形成されていくことが伺われる。

奄美の超高齢者の語りから導かれた老年的超越の次元の一つに《自我超越》がある。苦労して頑張ってきた生活は、年齢を重ねる中で親からの影響がその根っこを形成している、超高齢期の緩やかな時間の流れの中で、親と自己の対話が深まる。ある人は養子だった親の心情が理解でき、またある人は、改めて「母は賢かった。学校は出てないけど知恵があった」という、〈親と自己の再定義〉がなされていく。

二つ目の次元として、物質的なものからの《執着の超越》がある。超高齢期においても物やお金は欠かせぬ存在として、物への執着はあ

【コラム】老年的超越

スウェーデンのトーンスタム博士が提唱した理論で、老いに伴う人間の精神発達に注目した理論である（筆者訳『老年的超越：歳を重ねる幸福感の世界』）。ライフサイクルの第９段階（超高齢期）の課題を「老年的超越」と設定したエリクソンは、超高齢期は「死に向かって成長する」とした。老年的超越は、物質的な執着から、より宇宙的な超越への移行であり、通常は満足感を伴う前向きの世界観であるとされる。

るものの、同時に執着からの距離感もある。〈おおらかな適応〉である。

「大きな畑があるので高い値で売れたらと思うけど。もう、食べていけたらいいですね」、「経済面では楽でなかったけど精神的には割り方大らかに生きてきました」、「経済的にもいいし、今の年寄りなんか年金はもらえるしね。ありがたいと思いますよ」、という語りがある。

三つ目の次元として、時間や場所の定義の変化がもたらす《宇宙的超越》がある。101歳と暮らす家族は、「たまに亡くなった人や遠くにいる人の名前を呼んで、会いたい、話がしたい、とか言ってます」と、現在と過去の時間の境界や距離・空間を超えた言動がある。しかし家族は、認知症ではないとはっきり言う。

「三男は五つの時、そのころ滅多にないことですが交通事故でなくなりました。一番いい子だったです」という〈追憶は現在形で続く〉、惜しまれる死がある。

島唄の継承者は、「昔の歌、ばっちゃんが歌ってくれた歌、思い出すよ。おむつ交換したり散髪もした。産婆さんみたいだねと喜んでくれた」という、亡くなった人との一体感の語りがある。

奄美には、毎日の生活の中にご先祖様があり、〈ご先祖様のおかげ〉という感謝の念が語られる。しかし一方で、「生かされている感じ？　フフないわ。長生きはご先祖様のおかげ」、「信仰は仏壇だけ、他にはなにも。それだけ拝んでいればいいと思っています」。「(信仰)特にない。先祖は守っているよ。田舎はお墓に1日、15日に参るの」。「(信仰)ない。(何かに生かされている感じ)ない」、という語りが続く。

ただ一人、「霊魂というものがあるような気がしています。長生きできるのは生かされていると思います。病気したのに、皆んな戦死したのに」と、戦争の悲惨な体験を語った男性が、生かされている感じを肯定した。

老年的超越：三層モデルの出現

奄美の超高齢者の語りから、三層からなる老年的超越モデルが示された。つまり、老年的超越の形成は、超高齢者のポジティブに生きる要因と関連しながら、重層的・複合的に形成されるということである。このモデルから老年的超越は、自己が存在し続けられた悠久な自然や、周囲の環境への感謝を基盤に、幾多の危機を前向きに乗り超えてきた生活の営みから編み出された、超高齢者のローカルな知の成熟とも言えよう。

老年的超越は、老いや死を間近に感じる有限な生の時間の中で、先祖との繋がりや子どもとの繋がり意識を強めていく。人生の終盤になって生きることの意味を問う過程の中で、深まる洞察から形成されるもの、とも示唆される。それらがスピリチュアルな発達を促し、周囲への感謝と幸福感を高め、超高齢期のサクセスフル・エイジングを形成していくという連関が示されたのである。

一方、奄美の超高齢者の意識の特徴的なことは、「生かされている」という感覚は少数派であるということである。長生きは先祖の「お陰」と思っているが、「生かされている」対象とは思っていない。「生かされている」という感覚が少ないことは筆者の量的調査からも出ている。

その理由には、奄美独特の精神世界が考えられる。奄美のシマには今なお、かつての琉球文化の流れを受けた、民間信仰の存在やアニミズムの世界がある。それはシマの居住空間にもみられ、伝統行事においても継承されている。

その親ユタ（奄美のシャーマン）の言葉として、「神に頭を下げることは忘れても、水や太陽に頭を下げることを忘れるなっちゅうのが奄美」と紹介されている。また、先祖との距離は月2回のお墓参りにも見られるように、距離的にも精神的にも本土より近い関係にある。このような奄美の人たちの自然や先祖と一体感を持った暮らしには、生かされているのは形而上学的な神でなく、そこには自分を包む存在としての自然があり、ご先祖様がある。

これらを総合的に見るとき、奄美の超高齢者の精神世界は、日々のさまざまな危機や困難、自然環境がもたらす脅威と対峙しながら、加齢とともに超越的度合いを深め、老年的超越へ到達していくプロセスへ導かれる。そのなかの宇宙的超越は、奄美の超高齢者のことばに置き換えると「ご先祖様」だと理解できる。奄美の先祖信仰は、有限な生から子々孫々へとつながる感覚を得て、超高齢者の安定した精神次元に、老年的超越を核とした幸福感を高めていく生があることが明らかにされた。

4　百歳は「本人の努力と地域の見守り」

百寿者家族へのインタビューの百寿者の平均は101・4歳である。介護度は自立〜要介護5で、自立者が3名いた。同居の時期は、80代から90代にかけてで、それまでは一人暮らしや夫婦二人の生活が長い。信仰では、全員が奄美特有の先祖崇拝であるが、加えてクリスチャンが二名。介護者のうちの三名は元看護師であった。

分析の過程

語りの分析は、「ディテール（細部の描写）が豊富な方」の語りから始めた。与論島で105歳のAさんを介護する長男夫婦である。

一例目のAさんは、大島紬を織りながら夫のサトウキビや牛飼いを手伝い6人の子どもを育てあげた人で、長男夫婦とは夫が亡くなった80代から同居している。介護施設は嫌いで介護認定を拒否し、自宅暮らしを選んでいる自律心の強い人である。Aさんは、運動しないと寝たきりになるという思いから、家族が転倒しないか心配するなか、105歳の今も自分の食べた食器、衣服は自分で洗い、畑仕事ができなくなってからは自宅の草とりなどを行っている。Aさんの長男はガンの手術を受け、放射線治療をしながら酪農をしている。一年に一度の入院治療があり、そのとき、Aさんを介護施設に預けるのがつらいという。そんなAさんから、語りの意味、内容を解釈していった。

二例目は同じ島で、101歳のBさんを介護する次女の方である。Bさんは、当時は珍しい職業婦人で、夫とは鹿児島で知り合い、結婚後は夫の故郷の与論に戻り、習慣・風俗の異なるシマの生活に苦労しながら、今では鹿児島弁は忘れ、シマンチュ（島人）と間違われるほどシマ口は堪能で、我慢強く、前向きに頑張ろうとする努力家という。96歳までは自立していたが、最近はほとんどの時間がベッド生活となって、Bさんは1日の大半を母親の横で過ごしている。三人姉妹で二人は本土に住んでいるが、介護に当たる次女のために度々帰島している。ご主人や姉妹のきずなのなかで、要介護5ながら自宅介護が持続できている。

三例目は沖永良部島に住むCさん100歳の長男の方で、97歳から同居したが、今でも食事づくり以外はすべて自分で行う自立した女性である。働くことが大好きで93歳までシルバーサービスで働いていたが、この歳で働くのは恥ずかしいと辞めたという。一回り下の友達がいて、毎日、好物の芋をもって夕方まで一緒にいるという。

四例目は同じ島で、100歳の女性Dさんを介護する長男夫婦である。同じ敷地のなかに母屋と離れがあり、朝以外は食事を一緒にしている。要支援2で、デイ・サービスに週2回行っていたが、自宅の庭で転倒して入院中で、要介護3になっている。編み物が大好きで、98歳の時まで周りの人々にプレゼントするのを楽しみにしていた。Dさんは、毎朝夕、自宅庭のガジュマルの大木の落ち葉を掃いていた。ガジュマルは台風対策になるが、葉が落ち手入れが大変という。

五例目は、徳之島に住む104歳の男性Eさんと同居している長女の方である。元看護師で、要介護3のお父さんを、介護サービスは受けずに自宅で一人でケアしている。朝からモーニングケアをして、血圧も測って、水分補給をして、便の様子などを記入した介護ノートは4冊目という。常にEさんに寄り添い、夜中も体位交換に起きていたが、最近はその必要のないベッドを見つけて、町に頼んで取り寄せてもらって使っているという。お母さんは98歳で、お父さんは94歳まで二人暮らしをしていて、九年前に同居したという。「父は養子で苦労してきた人なので、かわいそうなので、私は、病院や施設に行かせたくないと思っています」と語る。

六例目は、Fさん100歳。認知症で要介護3の女性で、娘夫婦と同居している。母一人子一人で育って、長らく大阪に住んでいたが、15年前に夫の故郷の徳之島に帰ってきた。「母は大阪にいる

図２ 奄美群島の百寿者の自宅暮らしを実現している要因

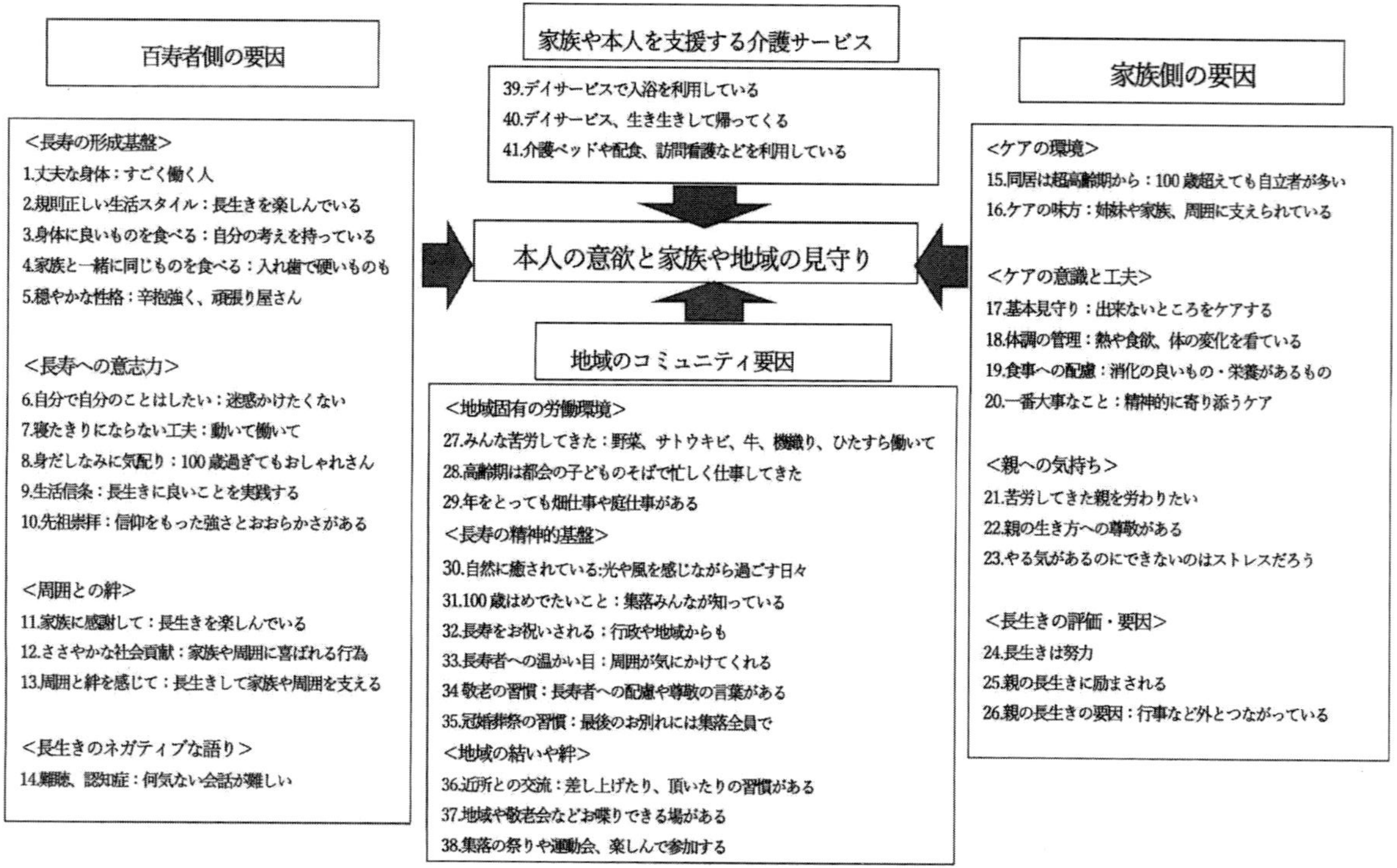
百寿者側の要因
<長寿の形成基盤>
1.丈夫な身体：すごく働く人
2.規則正しい生活スタイル：長生きを楽しんでいる
3.身体に良いものを食べる：自分の考えを持っている
4.家族と一緒に同じものを食べる：入れ歯で硬いものも
5.穏やかな性格：辛抱強く、頑張り屋さん
<長寿への意志力>
6.自分で自分のことはしたい：迷惑かけたくない
7.寝たきりにならない工夫：動いて働いて
8.身だしなみに気配り：100 歳過ぎてもおしゃれさん
9.生活信条：長生きに良いことを実践する
10.先祖崇拝：信仰をもった強さとおおらかさがある
<周囲との絆>
11.家族に感謝して：長生きを楽しんでいる
12.ささやかな社会貢献：家族や周囲に喜ばれる行為
13.周囲と絆を感じて：長生きして家族や周囲を支える
<長生きのネガティブな語り>
14.難聴、認知症：何気ない会話が難しい
家族や本人を支援する介護サービス
39.デイサービスで入浴を利用している
40.デイサービス、生き生きして帰ってくる
41.介護ベッドや配食、訪問看護などを利用している
本人の意欲と家族や地域の見守り
地域のコミュニティ要因
<地域固有の労働環境>
27.みんな苦労してきた：野菜、サトウキビ、牛、機織り、ひたすら働いて
28.高齢期は都会の子どものそばで忙しく仕事してきた
29.年をとっても畑仕事や庭仕事がある
<長寿の精神的基盤>
30.自然に癒されている:光や風を感じながら過ごす日々
31.100 歳はめでたいこと：集落みんなが知っている
32.長寿をお祝いされる：行政や地域からも
33.長寿者への温かい目：周囲が気にかけてくれる
34 敬老の習慣：長寿者への配慮や尊敬の言葉がある
35.冠婚葬祭の習慣：最後のお別れには集落全員で
<地域の結いや絆>
36.近所との交流：差し上げたり、頂いたりの習慣がある
37.地域や敬老会などお喋りできる場がある
38.集落の祭りや運動会、楽しんで参加する
家族側の要因
<ケアの環境>
15.同居は超高齢期から：100 歳超えても自立者が多い
16.ケアの味方：姉妹や家族、周囲に支えられている
<ケアの意識と工夫>
17.基本見守り：出来ないところをケアする
18.体調の管理：熱や食欲、体の変化を看ている
19.食事への配慮：消化の良いもの・栄養があるもの
20.一番大事なこと：精神的に寄り添うケア
<親への気持ち>
21.苦労してきた親を労わりたい
22.親の生き方への尊敬がある
23.やる気があるのにできないのはストレスだろう
<長生きの評価・要因>
24.長生きは努力
25.親の長生きに励まされる
26.親の長生きの要因：行事など外とつながっている

時は料理や洗濯など、コソコソするのが好きだったのですが、今では何もしなくなって。大阪にいたら認知症になっていなかったかもしれません、複雑です」と語る。

このようにして、最終的には図2（前ページ）のようにまとまり、中心部にコアカテゴリーが浮かびあがってきた。

その結果、奄美群島の百寿者の自宅暮らしを実現している要因として、一つに百寿者側の要因、二つに家族側の要因、三つに地域コミュニティの要因、そして、四つめに家族や本人を支援する介護サービスの要因から構成された。中心部には、「本人の意欲と家族や地域の見守り」というコアカテゴリーが導かれた。

つまり、奄美の百寿者の自宅暮らしを実現しているのは、百寿者本人の意欲とそれを支える家族の見守り、本人と家族を支える介護サービス、それらの基盤に地域コミュニティの支援が導き出されたということである。

5　百寿者本人と家族、地域の要因

百寿者側の要因

一つ目に、《長寿の形成基盤》として〈丈夫な身体〉がある。「病気らしい病気はしません。微熱でも病院に行きません」、「畑仕事が趣味です」、「すごく働く人でした」という家族の語りにあるように、丈夫な身体は働いて形成されたものであることが伺える。

加えて、〈規則正しい生活スタイル〉や〈身体に良いものを食べる〉生活がある。「朝8頃に起きて、洗濯物干してから食事します」、「日曜日は教会に行ってなじみの人と話します」、「自分の考えで健康管理されているみたいです」という語りに表れている。また、硬いものでも入れ歯ながら、〈家族と一緒に同じものを食べる〉生活や、100歳を超えた今は〈穏やかな性格〉になっている。若い時からの「辛抱強く」「頑張り屋さん」の性格が、健康長寿で過ごす日常を実現する基盤となっているようだ。

二つめに、《長寿への意志力》がある。〈自分で自分のことはしたい〉には、「周りに迷惑かけたくない気持ち」や〈寝たきりにならない工夫〉がある。〈身だしなみに気配り〉し、百歳の今も髪を整え、洋服を選び、お化粧をするなど、おしゃれを楽しんでいる。

そこには、〈生活信条〉がある。「水は淀むと腐る。人間も動かないといけない」、「腹八分で医者いらず」を実践し、〈先祖崇拝〉の信仰の暮らしの下で、〈信仰をもった強さとおおらかさ〉がある。

三つめは、《周囲とのきずな》である。〈家族に感謝〉し、〈ささやかな社会貢献〉と〈周囲とのきずなを感じ〉ながら、長生きを楽しんでいる。「一回り違うけど友達ですが、毎日遊びに行ってます」、「将棋では96歳の父に負けます」、「104歳で短冊に長生きできますようにと書いていました。子どもとしてはうれしいです」など、長生きを本人も周囲も楽しみながら暮らしている。

一方で、《長生きのネガティブな語り》がある。〈難聴や認知症などで何気ない会話が難しく〉なる。「同じ話を三回して通じないと、もういいかと思ってしまいます」や、母親を知り合いのいない奄美に連れてきた娘さんは、「大阪にいたら認知症になっていなかったと思います」と複雑な心境を語る。

しかし、「ぼけてみんなを困らした人はこの辺にはあまりいないです」という語りがある。

家族側の要因

《ケアの環境》では〈同居は超高齢期から〉で、100歳を超えても自立している人が多い。「97歳から同居です。それまで、200メートルくらいのところに一人で住んでいました。介護保険は自立です」、「介護保険の認定は受けていません。毎日畑に行って家族の食べる分は作っています」、「父はとても元気で100歳まで全くぼけなくて、99歳まで毎日毎日、オートバイで畑に行って野菜を作っていました」など、自立した生活と介護者には負担感の少ないケアであることが語られる。

一方で、支え手の〈ケアの味方〉では、「やっぱり精神的に参ったとき姉妹が来てくれて」、「母が死ぬ死ぬと言うとき、お姉さんに来てもらって気分転換してもらいます」、「夫と二人三脚で見ていて心丈夫です」と、周囲の援助が支えとなっていることを語る。

二つめの、《ケアの意識と工夫》では、〈基本見守り〉で、「仕切らんところを面倒見るようにしています」、「放ったらかしが一番かと思います。危ないところは見ながら」という。できないところをケアするというスタンスである。

しかし、〈体調の管理〉や〈食事への配慮〉など、「あまりきついと言わない、我慢する人なので、その辺は見て」、「消化の良いもの・栄養価のあるものに心がけています」など、本人の自主性を尊重しながらも、細心の注意を払っている姿勢がある。そして、〈一番大事なことは精神的に寄り添うこと〉と、元看護師の介護者は語る。「保清・栄養・転倒防止というのが介護の三つの基本だけど、そういうことより、精神的に寄り添うことが一番大事、家族の中心に置くことも大事」と力説した。

三つめに、《親への気持ち》である。〈苦労した親を労わりたい〉、〈親の生き方への尊敬がある〉ことを語る。「父は養子で苦労した人なので、施設には行かせたくない」、「戦争を体験した人は違う。耐えることや苦労を惜しまない」、「93歳で脳梗塞になって、リハビリ頑張って、普通に歩けるようになった。凄いなと思いました」や、「母が60歳過ぎてクリスチャンになったのは挑戦みたいで、凄いなと思ます」、「父は集落のいろいろな面倒を見てきて、僕にはできないから、父を尊敬してしまう」という語りがある。介護者の親への気持ちは暖かく、尊敬に満ちている。

一方で、〈やる気があるのにできないのはストレスだろう〉と、今も頑張りたいのにできない親の気持ちを思いやる。

四つめに、介護者側からみた《長生きの評価・要因》は、一つは、〈長生きは努力〉とみていることである。「母の長生きは努力ですね。よく頑張るなと思います」という親の頑張りへの称賛がある。そして、〈親の長生きに励まされる〉という語りがある。そのような親の長生きの要因に集落の人との、〈行事などでつながっていること〉を挙げる。長生きは、「シマの行事に参加したりすることでしょうね。「散歩で道であった人とも話をする。そういうことがぼけ防止になる」、「みんなと朗らかに過ごして、一日を大切に生きる人は、ぼけにならないのではないでしょうか」と、親の生き方からの確信する語りがある。

地域のコミュニティ要因

自宅暮らしを可能にしている地域要因には、奄美のコミュニティがある。一つに、《地域固有の労働環境》である。〈みんな苦労してきた〉のであり、〈野菜やサトウキビ、牛、機織り、ひたすら働いてきた〉のである。「朝早くから夜遅くまで働いてました」、「母はひたすら働いてきましたね」、「貧しいなかでも食べ物を分け合ってきました」という語りがある。

奄美の超高齢者は経済的に貧しく、ひたすら働いて、乏しい食料を分かち合って、助け合って暮らしてきた人々である。そしてまた、〈高齢期は都会の子どものそばで忙しく働いてきた〉のである。仕事がない島から子どもたちは都会に出ていくので、「60～80代は関西で兄の工場で働いていました」「関西では子どもを預かっていました」、「沖縄にいる弟の食堂を手伝ってました」など、子育てに忙しい時期、また都会で自営する兄弟のために、シマを出て子どもらの助けとなるために、そこでも忙しく働いてきたのである。

そして、奄美に帰っても、〈年をとっても畑仕事や庭仕事がある〉生活がある。「100歳のころまで畑仕事」、「80歳代頃は元気で畑仕事」、「99歳でも元気で畑仕事」と語る。

二つめに、《長寿の精神的基盤》がある。100歳で自宅暮らしを選ぶのは、〈自然に癒されている〉生活があるからである。奄美の自然の中で光や風を感じながら過ごす日々がある。「ばあさんがここの庭のハイビスカスを見せるようにと言ってます」と、面談中筆者に伝えてきた。自慢の景色を見せたいという誇りと気配りを感じた。「黄色いハイビスカス、年中咲いていますﾞ」、「お天気の日には庭に出て、植木をどこがいいか動かしています」、「高台なので海に沈む夕日が観えます。毎日景色は違います」とそれぞれが自然とのふれあいを語る。

また、〈100歳はめでたいこと〉で、集落のみんなが知っている。「近所の人みんな知ってます」、「集落の人は104歳をみんな知っています」、「集落でも敬老会でも、みんなお祝いしてくれます」と、口々に長寿がめでたいとお祝いしてくれることを語る。

加えて、〈長寿をお祝いされる。行政や地域からも〉。「おふくろが最高齢で、この間町長がお祝いを持ってきてくれました」、「この辺は100歳以上5万円のお祝い金をいただきます」、「敬老の日に町長さんや役場の人が集落を回られて、100歳以上の方一人ひとりに敬老のお祝い金を渡されます」、「地元の酒造会社からも毎年敬老の日にお祝いのお酒が贈られてきます」など、行政や地域からもお祝いしてもらえる習慣は、本人はもちろん、家族にとっても名誉なことで、更に、長生きをしようという思いを新たにすることだろう。

さらに、〈長寿者への暖かい目、周囲が気をかけてくれる〉環境がある。「電気がついてなかったら隣の方が気にかけて来てくれます」、「何かがあったときは弟やお隣があります。隣は私の同級生です」、「この辺は見守りがすごくって、隣からこんな作ったとか、食事の差し入れがあります」、「あんたのおやじバイクで道の真ん中をのろのろ走っていたよ。あんまり遠くまで乗らんでな、とか言ってくれます」など、周囲が常に気にしてくれる環境がある。

そして奄美には、〈敬老の習慣〉や長寿者への配慮や尊敬の言葉がある。「親を大事するのは当たり前」、「会合の時、敬老会でも歳の順です。床の間の上座です」、「このシマには、目上に使う敬語があります」など、百寿者を大事にする習慣が語られる。

加えて、集落の〈冠婚葬祭：最後のお別れは集落全員で〉の習慣がある。「葬儀には最低でも、

500人、600人は来ます」「亡くなられたときは字の人は全部来ます。最後のお別れなので」、「葬儀には子どもが働いている職場の人も来ます」、「手だけは合わせないといけないからと、お通夜やお葬式、どちらかに行きます」など、集落の亡くなった人へのきずなは強い。

《地域の結いやきずな》では、〈近所との交流：差し上げたり、頂いたりの習慣がある〉。「隣組から野菜やキャベツ、キュウリが配られます。こちらも冬瓜など人がまだ出していないものができると、持っていきます」「何か送ってきたら隣にどうぞとおすそ分けします」「できた野菜は母が配りに持っていきます」など、隣近所との交流の濃密さが語られる。

また、〈敬老会や地域でおしゃべりする場がある〉。「都会と違ってみんな常にどこかに集まって話していました」、「そこに商店があって、みんな集まって長いことおしゃべりしてました。敬老会に行かなくてもそこでおしゃべりして」「昔からのつながりがあるから、そういう楽しみがあるからね」、「いつも家に人を呼び込んだりしていたし、散歩であった人とも話していた。ボケない要因ですね」と、家族は語る。

また毎年の〈集落の祭りや運動会〉に、参加することを楽しみにしている。「母は町の運動会で玉入れとか、してました。92歳頃まで、校区で対戦があるので、玉入れ、家で練習してましたよ」、「サンゴ祭り、仮装はしないですが、ただ歩くだけですが、楽しみにしていました」、「父はおとしの種おろしを見てました。椅子に座って、踊って。祭りは大好きでした。どっこい、どっこいと言ったりして」などの語りが続く。

種おろしは、奄美の伝統・年中行事の一つで、翌年の豊作を祈願するとともに、一年間の締めくくりとして各家庭を踊り浄め、繁栄を祈る行事である。奄美のコミュティには、かつての日本社会にあった祭りや悲しみを共にする習慣が残っている。それらは百寿者の心の拠り所になっているようだ。

第四に、《家族や本人を支援する介護サービス》がある。〈デイ・サービスで入浴を利用〉している。「デイ・サービスは週二回です。そこでお風呂に入っています。助かります」と語られ、自宅の介護で手間のかかる入浴は、デイ・サービスを利用することで介護者の負担が軽減されている。

また、〈デイ・サービス、生き生きして帰る〉がある。「デイに行くのを楽しみにしています」、「週2回はデイですが、しっかりしている人が多い曜日は面白いようです」と語る。一方で、「私はあんな遠いところ行きたくない。自分の家が良い」という人もいる。

自宅介護を継続するために要介護5の人は、〈介護ベッドや配食、訪問介護を利用している〉。「三年前に要介護5になっても自宅で介護しています。介護ベッドやマット、車いすとか、用品を使っています。助かります」。デイ・サービスでお風呂を利用することで、日常の介護負担の軽減となり、介護度が高い場合でも、介護用品を利用することで無理のない在宅介護が継続できている。介護保険制度は在宅の介護者にとっても心強い味方である。

奄美の超高齢者と家族、地域コミュニティ

奄美の超高齢者の語りには、歳を重ねて到達した精神世界が長寿とポジティブな生き方につながっている幸福感がある。超高齢者は支援される側だけでなく、自らの役割を見出して家族や近隣の人々の役に立とうとしている。その頑張りを支え、安心して暮らせる生活基盤には年金がある。口々に、「年

金のありがたさ」を語る。その生活に安住することなく、自らできる畑仕事をし、生活の糧にしている。

そして、子どもや地域のコミュニティに支えられて自らの役割が発揮でき、周囲のつながりの中で精神的にも長生きを楽しむ幸福感がある。奄美の超高齢者の語りからは、身体機能の低下だけでは推し量れない、老いを受容しながら地域のなかで暮らす喜びが明らかにされた。

一方、百寿者の自宅暮らしを実現している支援要因の一つは、百寿者本人の自立意識の高さである。二つ目は、そのような親の姿勢が子どもにとって尊敬の念や親思いの気持ちを育んでいる。一方で、長生きを努力する親に子どもは励まされている。ここには、一方的な介護負担ではなく、親にとっても子どもにとっても共に生きるしあわせを感じる日常がある。

三つ目に、介護サービスの存在がある。百寿者本人や介護者にとって、介護保険制度を提供する行政の支援は、在宅生活を支える大きな力になっている。

四つ目に、奄美の長寿の支援要因には地域のコミュニティ環境がある。年中暖かく豊かな自然のなかで、おしゃべりが盛んで、

【コラム】地域おこし協力隊

奄美・瀬戸内町の事例：奄美大島の西の端に位置する瀬戸内町は加計呂麻島、請島、与路島も含む地域である。地域おこし協力隊は、本島側２名、加計呂麻２名の４名が配置されている。活動はシマのイベントや学校の講師、町FMのパーソナリティやデザイナーなど、行政側の理解とシマの人々の大らかさのなかで、それぞれの特技を生かした活動がされている。任務の終了後もそのまま地元に残り、独自の活動をしている人が多い（OB6人中５人）。シマに新しい風をもたらしてくれる若者たちである。（2020年）

祭りや伝統文化など、喜びを共にする機会が多い。頂いたり差し上げたりする濃密なコミュニティ環境のなかで、畑で採れたものや手作りの物を差し上げる楽しみもある。

また、長寿を祝う周囲の温かい目がある。長寿者を尊敬する風土や敬老の習慣がある。行政や地元企業からも手厚いお祝いを受けとれる環境がある。これらは、歳を重ねる喜びの要素となっている。加えて、先祖を懇ろに祀る祭りや習慣は、百寿者にとっては、生と死後の安心を覚える幸福感につながるのではないだろうか。

第6章　看取られて、在宅で死ねる島「与論島」

1　日本における看取りの現状

日本におけるターミナルの場所は病院が圧倒的である。「死の場所」が病院に移行するに伴って死は自宅から遠ざけられ、人々の死に対する感覚も日常から切り離された。家族を中心とした看取りの担い手は弱体化し、今日では、看取りの文化は消失したともいわれている。

しかし、奄美のなかでも最も沖縄に近い与論島（与論町・人口約５３００人）は、今でも在宅死が80%を超える。地形的には周囲約24平方キロで平坦地が多い。与論島では入院設備の整った総合病院が整備された後も、在宅看取りの習慣が継続している。加えて与論島は、「長寿と子宝」の島の奄美の中でも、長寿者の多い島でもある。

与論島の在宅死の高さを考察する意図には、次のような視点がある。

一つ目に、近年、住み慣れた自宅での療養支援やターミナルケアに向けた施策を推進する方向性が打ち出されているが、自宅での療養や在宅死の推進が、国民医療費の抑制や施設介護の限界から打ち出されたというネガティブな目線でなく、超高齢期の生活の質を高め、生を全うする支援であることを与論島の事例から明らかにしたいこと。

二つ目に、与論島での在宅死を可能にしているシステムを考察することを通じ、看取りの文化の再構築に向けた取り組みを促し、超高齢者が安心して老いる環境づくりへの示唆となること。

三つ目に、看取りの文化に光を当てることで、現代における生と死のあり方を捉え直すきっかけにつなげたいこと、である。死や看取りに目を向けることも、地域でのきずなやつながりを復活するための、地域づくりへの重要な課題でもあると考えるからである。

死の場所の推移

日本において、「死の場所」が病院に移行したのはそんなに古いことではない。明治から大正時代にかけての「死の場所」は、自宅が普遍的であった。終戦後の1951（昭和26）年でも、自宅死は80％を超えている。死は自宅において家族に見守られて、死後の措置も家族でされた。戦前の高等学校の家政学ではそのための看取り教育がなされていた。

戦後の高度経済成長のもとで、人口の都市集中・核家族化による住宅事情、医療・健康保険の充実等を背景に、病院での死が増大していく。1977（昭和52）年に、病院死と自宅死亡の割合が逆転して以降、自宅死の割合は減少を続け、現在では1割台まで低下している。わが国の死亡場所は、急激な変化で推移した。

厚生労働省の終末期医療に関するアンケートでは、6割近くの人が「死に場所」を「自宅」と希望しているが、「死の場所」は病院が8割を占め、大きく乖離している。ここでいう「死に場所」は、生きている自分自身が死を考えたときにどこで死にたいかの意味であり、「死の場所」は、結果としてどこで死んだかを意味する。

病院死の増加と死生観の変容

病院死が増加した理由について一般的には、人口の都市集中、核家族化の進行と家の狭さである。それに加えて、医療施設の増加による医療の利用可能性の増大、生活水準の向上による医療の経済的可能性、健康保険制度による本人負担の軽減があげられている。

一方、在宅医療への転換が示されながら、病院死が減少しない理由について新村拓は『在宅死の時代』のなかで、病院医療に対する高い依存心、在宅死を支えるシステムの不備、死を看取ることの家族や福祉職員の不安を上げる。特に、家での看取りを覚悟していても、だんだん募ってくる不安や恐れに圧倒されて、最後には救急車を呼んで病院死させるケースが多いことをあげる。この原因には看取りの文化が継承されていないことを指摘する。

死が病院に移行したことによって、人々の死生観も大きな変化をもたらしている。新村は、その理由について、平均寿命が30年近く伸び、人生に20年間余の執行猶予が付いたこと。この「間延び」した死への歩みが死の意識を希薄にさせている。新村は、死の希薄化がもたらすものは、生の貧しさであると指摘する。生に限りあることを教えてくれる死は、生を愛おしむ心を育てる。生を豊かさにさせる上で、「死の復権」が必要であると強調する。

新村の強調する死の復権とは、大切な人が死に行く過程に同席することである。日本人は、諸外国と比べて死の不安は高いとされるが、そのような不安を取り除く上からも、希望する「死に場所」として、自宅での看取り文化を復権する意義は大きいものがある。

在宅死を阻止する要因

「死に場所」を自宅と希望する理由には、「住み慣れた場所で最期を迎えたい」、「最後まで好きなように過ごしたい」、「家族との時間を多くしたい」などがあげられている。その人らしい生き方やその人らしさは、生活を基盤とした、いろんな関係性のなかで作られるものである。これまでの関係性のなかで最期を迎えたいと多くの人が望んでいる。

一方、自宅以外の場所で最後まで療養したい理由の一位には、「家族の介護などの負担が大きいから」が八割を占める。家族に迷惑をかけるという意識が、自宅を「死に場所」とすることの遠因となっている。このことは、家族と同居している人の方が病院で亡くなる傾向が強いという結果にも現れている。

その回答の背景には、「同居は、住宅事情から仕方なく一緒に住んでいるケースなどがあり、住宅の狭さは『迷惑』という理由に影響しているのではないか」との指摘もある。在宅ケアには、看取りを可能にする住宅政策があって、その上に、福祉制度、医療制度、医療の質があると指摘される。

他方で、医師の側の意識の問題も指摘される。最後まで住み慣れたわが家での意思を持っていても、医師に在宅では無理といわれると、入院せざるを得なくなる。家族を支える看護などの外部のスタッフの全面協力がないと、看取る側も倒れてしまうことになる。

2 与論島における看取りの現状

それでは、なぜ与論島で在宅死が継承されているのか。与論島には、医療機関は、総合病院の与論徳州会病院（81病床）と民間の診療所のパナウル病院（19床）がある。それぞれの自宅から病院までは車で30分程度と近距離にある。老人関係の入院施設は特別老人養護施設と介護老人保健施設がそれぞれ一カ所ある。

与論島での在宅死の高さを明らかにしたのは近藤功行で「高齢者の生と死」のなかで、全国の在宅死が20％だった１９９０年初めにおいて、与論町立国保診療所の自宅死亡者が95％であることを明らかにした。その背景について近藤は、つい最近まで土葬・洗骨の葬法の儀式の変化が少なかったこと、琉球文化圏に見られる固有の死生観の強い残存をあげる。自宅の畳の上で死ぬのが通常の在り方で、自宅外での死が忌嫌われる与論島の伝統的な死生観、宗教観が大きく関わっていると指摘する。

与論島の人々は、死の直前には何としても自宅に連れ戻す努力をする。自宅外死亡の場合は、魂を死亡場所から自宅へ呼び戻す抜魂儀式「ヌジファ」を行うことになる。病院では、入院患者の血圧が80を下回り、死が避けられないとなると最低限の処置をして看護師が同伴し、時には医師が同伴し、自宅へ帰る。

施設入居者も死が近づくと、施設職員が車で自宅へ送る。沖縄の病院でも与論出身者と分かると、できるだけ自宅に戻れる努力をする。たとえ束の間でも自宅に帰り、住み慣れた自宅で、家族や親せき、知人に看取られて亡くなる。住民の根強い習慣が脈々として受け継がれているのである。

与論神道

このような在宅死が継続してきた要因に、与論神道がある。与論島は魂の島といわれ、人々の口から魂ということが普通に語られる。日常生活のなかに、亡くなった人と共に生きているという意識がある。与論島の人々が自宅死を選ぶのは、毎日の祈りの習慣のなかで、つながっているご先祖様のいる場所で、最期を迎えたいという思いを強く持っているのではないと思われる。

与論島では、先祖を祀る役割は神棚が担っている。神棚は床の間の一段高い所に社殿を模した祠が祀られている。その中央にある鏡が「イペー（位牌）」とされる。仏教形式の位牌や戒名はないが、神棚には蝋燭と線香が供えられている。神仏混合となっている。

与論島の人々は、神棚に祀られている先祖のカミを始めとし、多くのカミサマを祀っている。朝晩2回、それらのカミサマにお茶やお水をあげ、声を出して祈る慣習がある。例えば、民宿を営んでいるAさんの祈る神様は、先祖の神、火の神、水の神、海の神、福の神、屋敷の神など、家の全ての神様にお水を取り換え祈るので、一回20分、一日40分をお祈りの時間に使っていると話す。

また、朝起きた時にまずすることは、神棚のある床の間の雨戸をほんの少し開けて、外からカミサマが入って来られるようにする。亡くなった人の月命日や命日には亡くなった方の好物や煮もの、お餅が供えられる。祈りの言葉はその家の女性から女性に伝わっている。毎回、敬語で声を出して祈るのが一般的である。誕生日や成人、還暦等の家族内でのささやかな祝い事や正月などといった節目には、神棚に家の主が代表して、子や孫や家族、親せきが皆健康で元気でいられるようにと祈る。

元教師のIさんは、「声を出してお祈りします。子や孫が120歳まで長生きできますようにと祈ります」。民俗研究家のKさんは、「先祖への思いは、先祖の名前を子どもに名づけるヤーナー（家名・幼名）の習慣にも現われています」と語った。ヤーナーは徳のあった、長生きをされた先祖の名前がつけられることが多い。与論の子どもは二つの名前を持っている。そして先祖の名前に恥じないように生きなさいと言われて育つ。

土葬・洗骨の葬法の堅持

与論に火葬場が完成したのは2003（平成15）年である。他と比べるとずいぶん遅い完成である。1973（昭和48）年当時に、与論町役場が全世帯アンケートに火葬場ができた際の利用の有無について聞いているが、その時点では約6割の人が利用するという回答であった。これまで火葬を希望する人は、隣の沖永良部島まで遺体を輸送していた。

当時、与論島の火葬場建設が遅れた理由に、土葬・回葬という葬法の踏襲を強く希望する人々の死生観と、周囲が24平方キロで山林面積が少なく火葬場の確保が難しかったことが大きいとされる。

しかし、火葬場の完成によって土葬の割合は極端に減少した。加えて、自分たちで行っていた葬儀も、2011（平成23）年5月に初めて葬祭業者ができ、これまで自宅で行っていた葬儀も変わってきた。

相続と家制度

与論島には独特の相続制度がある。家の継承と遺産の相続、承継者の同居による親の扶養という聖俗原理の一体化が見られ、戦前・戦後を通じ目立った変化はない。

その特徴は「親持ちダマシ」と「バシャタイ」で、「親持ち」は跡取り息子または跡取り娘のことで、家督の中から家屋敷を含め親持ちが特別に相続するのが「親持ちダマシ」である。一方、「バシャタイ」は娘の相続分をいい、「親持ちダマシ」と「バシャタイ」をあらかじめとった残りを男子間でほぼ均等に相続する慣行である。

家制度について、Kさん83歳（女性）は、「今でもありますよ。家持ちダマシは、家を守ってくれる長男に全財産を譲ることで、他の子どもたちは財産のことで争い事はしないよ。与論の子は、心穏やかだから。自分たちが帰れる場所を守ってくれるから」

バシャタイは、昔は10アール程度の畑をもらっていたけど、今はお金を渡す場合が多い。畑をあげるのは、嫁いでも食べ物に困らないようにという配慮である。万が一、嫁ぎ先から出戻っても住む家が建てられるようにという意味もあるという。

Hさん（女性）は、「私の場合は、バシャタイはお金でもらった。信仰している先生から、両親の土地は良いけど、先祖の土地を嫁ぐ人が貰うのはいけないと言われたから」

このような相続制度によって親は安心して療養できる居場所が確保される。加えて、住宅の構造も在宅死を継続させる要因である。療養に専念できる部屋の広さがあり、療養時は奥の部屋で、いよいよ死が近づいた時には表の広い座敷になっていて、いつでも近所の人が訪ねて来られる部屋に移動するようになる。徐々に、迫る死への準備がなされていくのである。

医療機関の支援

与論島で在宅死が継続してきた要因には医療機関の協力が大きい。住民の自宅で畳の上で死ぬことを強く願う与論神道を、医療機関が理解してきたことがある。

与論島に赴任したK医者は、まず、住民の延命治療への希望の低さと、終末期になると本人の希望や家族の決断で、自宅に戻り最後を迎える状況にショックを受けている。その様子は、与論の在宅医療を支えているパナウル病院を取材して紹介されている。[25]

家族の側も在宅療養では、痛み止め以外は人工的な特別の措置を望まない。もっとも、島では痛みを訴える患者は少ない。モルヒネなどの鎮痛剤を使わない人もいる。「家にいることで、心の奥にある精神的な宇宙のようなものが癒され、肉体の痛みも和らぐのではないか」とK医師は話す。医師は、毎日様子を見るために患者宅を訪問し、家族を安心させる。医師法上の検視の問題を回避するためでもある。

総合病院の徳州会与論病院には現在でも霊安室はない。院長のS医師はじめスタッフも、与論島の看取り文化を継承すべきという考えが支えている。今でも、「急に亡くなったり、身寄りがない患者もいるので１００％ではないが、約８割は自宅で亡くなる」と語る。

移動しやすい島の規模

これらを可能にしているのは、非常時に対応しやすい島の地形と大きさ、人口規模である。与論島は平坦地が多く、医療機関から車で30分程度に全ての自宅がある。この距離や地形が毎日の訪問診察や在宅での療養を可能にし、非常時の自宅への搬送を可能にしてきたといえる。

一方で変化も起こっている。近年、在宅療養の期間が短くなり、大半は病院から自宅に戻って１日程度で亡くなっている。その背景には、女性が外に働きに行くようになったことがある。以前は大島紬の機織りなど、自宅で仕事をしながら介護する環境があったが、今日の療養の場は病院へと移行している。

3　看取り文化継承の要因

与論島の在宅死の高さ、看取りの文化を支えてきた要因は次のようにまとめられる。一つ目に、与論特有の与論神道の存在がある。毎日の祈りの習慣によって、先祖とのつながりを強固にし、生者と死者が共に生きている世界観が形成されている。それゆえ、我が家での死が先祖とつながり、死後の世界で、先祖になるための出発点として捉えられている。畳の上で亡くなることを頑なに願う伝統的死生観が形成されているのである。

二つ目に、高齢者が在宅療養や自宅で死を全うできる支援制度として、与論島独特の相続制度がある。安心して自宅で看取ってくれる子どもが存在し、死を迎えられる家の空間と構造があることである。

三つ目に、与論神道や習慣・伝統を理解し、それを支える医療機関側の協力がある。自宅での死の継続には、当事者の思いに応え協力してくれる医療機関や、施設の支援は欠くことができないものである。加えて、在宅診療を可能にし、急変時に自宅へ搬送できる島の環境が挙げられる。

四つ目に、看取りの文化が共有されていることで、家族や本人が不要な医療行為を排除し、穏やかな死を看取る知識が形成されている。

一方で、他地域で在宅死が実現できない要因としては、①住宅の狭さ、②看取りの知識、③信頼できる介護者の存在、④地域医療の支援が指摘されている。

これを与論島の現状に置き換えると、①住宅の狭さの問題は、与論特有の家制度及び住宅構造によって解決されている。②看取りの知識は看取り文化の継続によって地域の人々の間で共有されている。③信頼できる介護者は家制度によってあらかじめ決められている。④医療機関の支援は住民の強い信仰を叶える形で、長年の習慣として構築されている。

与論島の看取りの慣行は在宅死を拒む障壁への解決のヒントを与えるではないだろうか。

与論島から見えてきたこと

都会での死は個人や家族の死として処理されるが、与論での葬儀は、シマの人のみならず島中が参列する習慣となっている。一般的には、２００人から３００人が普通とされる。「亡くなった人の最後に手を合わせる」ことが、暮らしの行事の中で最も大切にされているのである。与論島では生も死も、コミュニティ全体の大切な共通行事として営まれている。お互いがお互いを支えあう、かつての伝統的コミュニティが継承されていたものである。

精神免疫学者の神庭重信は、「文化は個人や集団のレジリエンス（ストレスへの抵抗力）を高める機能がある」と指摘する。「たとえば、葬儀や初七日といった儀式である。親しい人を失った悲哀反応を起こしている遺族の存在を周囲に知らせる埋葬の風習は、脆弱な遺族たちを自然と周囲が支え、協力する集団行為」として、その地域の伝統と習慣がレジリエンスを支えてきたと指摘する。まさに、与論の在宅死の継続は負のイベントをコミュニティ全体で支えている文化の叡智、ノウハウといえよう。

加えて、身近に大切な人が死に行く過程に同席する自宅での死は、残された人にとっても生に限りあることを教えてくれる大切な教えでもある。残された者に、有限な生を愛おしむ心を育て、心を豊かにさせてくれる。このような習慣は、身近に死を意識する超高齢者にとっては、自分の最期に安心したイメージをもち得る要素となろう。長生きを楽しみ、死を恐れることなく安寧の中で暮らせるには、看取りの習慣が大きい。

儀式の場は、地域のきずなを深める大切な場でもある。与論島には、老いと生、死と生がしっかりと結びあい、お互いに交信しあう関係性がある。そこに、長寿としあわせな老いの原点が感じられる。

終章　奄美には歳を重ねる心地よい居場所がある

現在、多くの地域コミュニティは、人間関係における縁《エン》、〃つながり〃や〃きずな〃を失って人々が孤立している。特に、若さや経済的合理性を重んじる都市部では、地域固有の文化の崩壊や近隣との交流の希薄化などによって、高齢者／超高齢者は地域での居場所がなくなってきている。彼ら／彼女らの潜在能力は生かされず、固有の歴史や文化、技やノウハウなどを次世代に伝承する術《スベ》がない。さらに、少子高齢化の加速によって、地域の持続的な発展はますます困難な状況にある。

しかし、日本の地域コミュニティの実態をより詳しくみれば、多くの困難に直面しながらも、祭りや伝統文化が継承され、相互扶助、結いの機能が発揮され、〃つながり〃や〃きずな〃のなかにしあわせを感じているコミュニティを発見することができる。その典型例として、奄美のシマに注目してきた。

老いがポジティブ、長生きがしあわせな島

長寿地域〝奄美〟には老いることがポジティブに受け入れられる風土があった。そのようなコミュニティ環境には、超高齢者の経験や叡智、超越等の潜在能力を開花させる機会と役割があり、歳を重ねても心地よい居場所があった。

奄美の健康長寿者の多さと出生率の高さの要因には、奄美の歴史や人々の精神的土壌、創造的営みから形成されてきた祭りや年中行事、結いのコミュニティにあることが理解された。それらに支えられて、長生きにとっても子育てにとっても良循環の基盤、信頼のプラットホームが形成されているのである。

シマのコミュニティには、超高齢者が内在する文化資本と若い世代の持つ経済資本との世代間の相互交流が相乗効果となって、地域に新しい風をもたらしている。それらは文化資本を活かした地域経営として、長生きがしあわせな島の社会経済システムを機能させてきた。

奄美を象徴する文化資本は、一重一瓶に代表される奄美の人々の「対等・平等」意識、「つながり」意識、「役割と参加」の意識であろう。それらは、奄美の抑圧された過酷な歴史のなかで、文化は「人間の生きる歓び」、「社会の人々のきずな」となって継承されてきた。

これらは、生命の設計図としての「DNA」が受精を通じて次世代に継承されるように、進化経済学で語れば、奄美のコミュニティの場での〝習慣〟や〝伝統〟を通じ、時間を超えた生命と生活の設計図というべき「ノウハウ」が継承されているということでもある。

伝統的コミュニティの基盤に支えられ、超高齢者は地域固有の「文化」の継承者として、経験や叡智、

超越などの「ノウハウ」を蓄積し、これらは目には観えない文化資本として、さらに地域の公共財的存在として敬愛されている。そのことがまさに、超高齢期の自立と〝健康長寿〟〝幸福感〟を高めているということである。

つまり奄美の超高齢者は、多様な人とひととの信頼を包含する時間軸の社会関係資本のみならず、生命や死への時間軸を含めた多次元の社会関係資本が形成されているコミュニティが効用となって、長生きをポジティブに捉えていることが明らかにされたのである。

個と協働のバランスの基盤がある

奄美の人々は、過去の歴史にみられる厳しい弾圧を乗り越え、地域の伝統文化を守り、産業や生活を創造的に進化させる地道な努力を重ねてきた。これらの努力は、戦後の民主主義法体制の下で開花し、奄美の人々に光を放ったのではないかと感じられる。全国的な人権法システム、そして、社会保障制度の発展のなかで、個と協働のバランスがとれたコミュニティの基盤を人々は創造してきたのである。

さらに、「法や制度を生かす〝守る人権〟」基盤だけでなく、地域コミュニティにおいて「伝統文化や技を暮らしと事業おこしのなかで継承しつつ、創造的に発展させる〝攻めの人権〟」を持続的に発展させてきた。これらの伝統文化や年中行事、習慣が、超高齢者の長寿と幸福な老いに起因する要因であることは十分に確認されたのである。コミュニティの支援と超高齢者の役割意識が相乗効果で実現しているということである。

超高齢者は長年の経験から、協働することによって互いの文化資本を充実させる構想力を育てて、最適なエネルギーの活用によって最大の幸福を実現しうることを認識している。超高齢者は、それらは幸福への歩みとして自覚しており、若い頃の厳しい仕事や生活と比較して現在を生きているのである。このことは、アマルティア・セン著『福祉の経済学』の次の指摘とも響き合い、超高齢期の幸福感は、現役世代の幸福とは質的に異なっていることが見えてきた。

「自らの幸福とは：（超高齢者の場合は）潜在能力を開花することである。自らの欲望とは：（超高齢者の場合は）近隣と共に生きて共に励ましあい高まりあうことである。自らの厚生に関する自己の見解とは：（超高齢者の場合は）若い頃と比較しての今の幸福という認識である。自分の動機とは：（超高齢者の場合は）隣人を大事にして次世代を育てることである。選択行動における自分の最大化対象とは：（超高齢者の場合は）若い頃と比較して、今を積極的に選択し幸福感を最大化すること」なのである。[26]

健康長寿のまちづくりへの発展

昨今、従来の医療や福祉行政の枠にとどまらない、都市政策としてのまちづくりとして、〝健康長寿のまちづくり〟が注目されている。国や自治体、先進企業では、超高齢社会への挑戦の一つとして〝まちづくり〟への積極的な取り組みをはじめている。ここには、団塊世代が後期高齢者となる〝２０２５年問題〟に象徴される、介護問題への解決が急務だという危機意識が共有されている。加えて、健康長寿のまちづくりの推進には、健康寿命だけを取り上げても個人のモチベーションにはなりえないという認識がある。これまでの健康寿命ありきから、コミュニティの中で自分がどう生きるかという視点の重要性が認識されてきたのである。実際、全国各地には、超高齢期になっても、現役で仕事をし、地元の活性化に貢献している生き生き暮らす姿がみられるのである。

このような小さな奄美の事例が全国にはいくつも存在する。健康長寿のまちづくりをすすめていくためには、ハードな施設づくりよりも、地域固有の自然や文化資本を活かし、家族・近隣・地域がつながっていく、ソフト面が重要である。超高齢期でも役割が発揮できる地域コミュニティを創造していくことこそが、長寿時代にふさわしい健康長寿のまちづくりとなることを確信している。

都会でのつながりのきざし

さらに、すべての国民が健康長寿を共有するためには、長寿地域の農村と都市との交流も重要となる。健康長寿を実現する地域要因を内蔵している長寿地域の住民の経験と、地域のきずなが希薄になった都市の住民が、お互いの資源を交換・交流しあって、

【コラム】綾部市・古屋《コヤ》地区では

綾部市睦寄町の古屋地区は、若い世代は町に移住し、高齢者／超高齢者のみが暮らす３世帯４人の小さな集落である。そこでは、95 歳を筆頭に、公民館で地元の山で採れるトチの実を使ったお餅やクッキー、おかきを作っている。市の内外で人気の特産品となっている。移動はオートバイのＩさん（95 歳）で「仕事をしているときが一番楽しい」といい、Sさん（88 歳）は「忙しいけど毎日の楽しみの一つ。仕事の段取りや田んぼのこと、頭の中であれもせんなん、これもせんなんと考えている」と語る。(2019)

ともに健康長寿を実現するという新たな仕組みづくりも必要となる。

例えば、ライフスタイルとして、都市と農村に家を持ち、往復しながら暮らす二カ所居住。これからは農村中心の自給自足経済がテレワークの普及と共に、農村での仕事おこしと地域づくり、文化を高め、健康度も高まるのである。奄美はその先駆けになるだろう。

また、これまで、老いる人の潜在能力に光が当てられず、脆弱性や認知症の方に対し、いかに守り支えるかが議論されてきた。それは、例えば、認知症カフェなど、認知症の人でも集える場づくりの運営などの取り組みに表れている。

しかし、近年、新しい風が吹いてきた。例えば、学生の多い京都では、一人暮らし高齢者の住宅に学生が間借りするシェアハウスの取り組みが出ている。また、認知症の人が働くことをサポートする活動が始まっている。「注文を違える料理店」の展開である。認知症になっても、人から褒められ、役に立つこと、働くことが一番の特効薬として、始められたのである。さらに、老人ホームの入所者に働く機会を作っている施設も出ている。利用者の働きたい希望や、少しでも収入を得たいという希望をかなえているのである。

都会に、きずな、つながりを取り戻し、長生きがしあわせな社会づくりは、多世代が参加するなかで創意工夫の余地がみえてくる。人にやさしいコミュニティを作り上げることは、これから、その地に暮らす人々が試行錯誤で実現していく夢のある課題になろう。

繰り返し述べるが、安心して長生きできる健康長寿のまちづくりには、経済資本だけでなく、その地域が歩んできた歴史、自然、地域固有の自然資本、文化資本に着目し、創意工夫し、新しい風を入れながら社会関係資本を豊かにしていくであろう。これらは、奄美の事例から全国のまちづくりへ発信できるのである。

誠の花の良さ

超高齢者の存在を世阿弥の諭す花に例えると、時分の花（年齢によって現れ、年齢が過ぎれば散っていく花）ではなく、誠の花（稽古と工夫を極めたところに成立する、散ることのない花）としての存在である。若い生命力の持つ華やかな「時分の花」から、枯れても人間の本質として咲き続ける「誠の花」として、超高齢者の存在は地域の若い世代に生きる意味を明示してくれるだろう。

ローマの政治家キケロは『老年について』で、「自然がもたらすものに、悪いと考えるべきものは一つもない。老いもそのひとつである」と述べている。また神谷美恵子は『こころの旅』の中で、「安らかな老いに到達した人の姿は、……有用性よりも『存在のしかた』そのものによってまわりの人をよろこばし、気をゆるせる者のなかで、安らかにくらすことができれば、老いは自然にゆるやかな形で進行する」と論じている。

補論　ネオ・ジェロントロジー（新老年学）への展望

はじめに

高齢者／超高齢者が多数を占める今日の時代には、これまでの現役世代の価値観や財・経済資本への貢献度だけではなく、老いの経験を無形資産（価値）や社会の共通資本として社会経済的に考察するプロセスや、老いの潜在能力を経済学的に考察することが求められている。

しかし、近代化や高度成長、都市化の進行、農村における稲作文化の衰退などによって地域固有の文化は弱体化し、無形資産の有用性については、文化財保護などの対象とされているにもかかわらず、社会経済的には一瞥もされていない。また、従来の社会経済学においては、無形資産の研究は、知的所有権や財産権を有する資産に限定される傾向があった。そのため、自然資本と共生する文化資本としての無形資産の研究は、民俗学などで触れられてはいるものの研究の蓄積がない。

このようななかで本書は、かつての日本の伝統的共同体に一般的にみられた、祭りや習慣、結いを媒介とした無形資産に注目してきた。これらは、互いの生命や生活を尊重しあう相互支援・互助の人間関係のなかで形成されていたものである。

さらに、社会経済的視点からみると、個人は孤立した存在でなく、様々な経済・社会関係を築き、歴史的背景をもつ社会的存在である。自然や風土と共生し、家族や社会集団、地域コミュニティと関わりながら暮らしてきたかつての生活のなかでは、超高齢者は知恵者としての役割があり、潜在能力を発揮する居場所があった。

例えば、『老いへのまなざし：日本近代は何を見失ったか』の著者の天野正子は、民俗学者宮本常一氏の『忘れられた日本人』のあとがきに触発されて、この本を書いたと述べている。その理由として、宮本の話には、「狭くて息苦しい、利害の衝突しがちな村共同体の中で、常に共生の可能性を求めてきた老人の『知』のありようが見てとれる」と記している。

その根拠として、「老人の知が持つ有効性は、長年にわたる経験の中で蓄えられてきたことだけにあるのではない。それが世俗の秩序に拘束されない自由さを持っているからである。……そこにあるのは、衰退した老いの姿ではない。村の歴史の流れを見通し、共生への志をもった老いの姿である」と論じている。

これは、遠い昔の日本の姿ではない。半世紀前の普通の老いの姿である。老人は、地域コミュニティでの役割やノウハウの発揮によって、重要な役割を果たしていたことがみえてくる。共同体の基盤が残る奄美の超高齢者の生き生きとした老いの姿は、宮本の指摘と重なるのである。

ジェロントロジー（老年学）からネオ・ジェロントロジーへの転換

本書では、元気な高齢者／超高齢者の出現を受け、加齢を一律に衰退・衰えととらえていたジェロントロジー（老年学）から、学際的で多様な高齢者像・人間発達の視野に立つ、新しい老年学ともいえるネオ・ジェロントロジーへの視点から論じている。つまり、高齢者を虚弱で支えられる者として、福祉的分野を主に研究してきた老年学から、「老い」の豊かさや価値についての歴史的・思想的・比較文化的分析、蓄積された経験が大きな資産となる「暗黙知の伝承の民俗学的・文化人類学的考察」などを含んだ研究への必要性がベースにある。[27]

このような、老いの豊かさに光を当てる研究上の視野をもつことによって、超高齢者の生活基盤や医療を支えている社会保障制度の積極的側面もまた評価の対象となりうる。結果、超高齢者は経済的にも、社会的にも、指導力や文化的な存在においても、寝たきりの方から現役で活躍する方々まで極めて多様で、次世代と共生・協働している実態が把握しうると考える。

現代の年金・医療保険システムのもとでは、超高齢者の経済的基礎は現役世代からの経済的支援によって支えられているのも事実である。しかし、これまで、超高齢者が社会や地域の発展に寄与してきた存在として、また現在も、地域の文化や生活の質にかかわる存在としては言及されてこなかった。つまり、福祉という領域からは、老いへの価値や超高齢者の尊厳、人が歳を重ねる経験や技、叡智、潜在能力を社会の共有資産とする視点は形成されない。その結果、現役世代との共生・協働の現実に関する研究の不十分さが露呈するのである。

奄美の健康長寿者を生み出す地域経営や社会経済のシステムに注目すると、超高齢者は、現役世代が担う国民年金や医療保険制度、自治体の敬老慰労金などによって支えられている。自給自足的経済などによって、家計が支えられている側面もある。とはいえ、これら現金収入は家族や近隣との付き合いには欠かせないものであり、生活の質を確保する意味あいは大きい。このように、老いの価値や超高齢者の潜在能力に光をあてることによって、経済のみならず文化をも視野に入り、健康長寿を実現する地域経営とそのシステムの考察が可能となるのである。

超高齢者の潜在能力に注目

人間発達の経済学の「潜在能力」の視点は、超高齢者への新たな理解を示唆している。アマルティア・センは１９８０年代、商品開発の経済学から人間発達の経済学へ、という経済学のパラダイム転換を提起した。そこでセンは、人間の幸福な状態や福祉の水準は、人が達成に成功する「機能」（人がなしえること、なしうること）と、人がこれらの機能を達成する「潜在能力」に関心を寄せている。また、「貧困は単に所得が低いというよりも、むしろ基本的な潜在能力の剥奪である」と指摘する。

このことを、超高齢者の現実に当てはめるならば、年金等の充実で生存の最低限度の所得は保障されているものの、活動の場や社会的役割から離脱して暮らす高齢者／超高齢者にとっては、自己実現や生きがい創造の機会は少なくなる。そのような環境下にある彼ら／彼女らは、物質的には豊かな生活であったとしても、いわば潜在能力のはく奪状態として、精神的には生きがいのある生活とはいえない人もいよう。

現に、祭りや伝統行事が希薄になった都市部では、日常的なつながりや共同行事も薄れ、それに伴い地域の多様な職人能力も衰退している。超高齢者が地域で潜在能力を発揮する機会も少なくなっている。これらが引き起こす、都市部における人々の孤独化や孤立は大きな社会問題でもある。

文化経済学の視点から捉える長寿地域の超高齢者は、地域コミュニティにおける自然や伝統文化から学びつつ、これまでの経験、熟練した技やノウハウを蓄積し、目には見えない無形の文化資本を体化した存在としてとらえられる。実際、祭りや伝統行事が継承されている奄美のコミュニティでは、超高齢者は先代から引き継いだそれらを次世代に伝える機会と役割の場がある。

超高齢者の幸福感に注目

幸福の基礎としての文化と経済の関係は、量産体制下では矛盾すると考えられてきた。しかし、両者は多品種少量生産システム時代の到来のなかで、祭り、民俗芸能、農林漁業や地場産業などの発展と相互補完的であるとの研究が進んできた。文化経済学からは、心理学が発見した超越の境地を、幸福を実現する近道の発見と実践による文化資本の充実として位置づけることができる。そして、この道の生き方を構想する力量を身につけた人々として、超高齢者が位置づけられる。

他方、超高齢者は文化資本を身につけているだけでなく、人生の各段階でそれぞれに自らの生き方を構想・創意工夫・ノウハウとして蓄積し、最終段階では最適なものを選択するという事実も重要な意味をもつ。経済学において、このようなノウハウを生産の基礎的要素として位置付けたのは、K・E・ボールディングであった。彼は『社会進化の経済学』のなかで、経済資源の3要素（ノウハウ・物質・エネルギー）を最適に選択すれば、最適なエネルギーによる資源（自然・人間・産業・生活などの諸資源）の有効活用が可能であることを論じている。この視点は、超高齢者の幸福（健康）と人間発達を実現しうる構想力ともなる。

加えて、スウェーデンの社会学者トーンスタムはその著『老年的超越』のなかで、加齢に伴う幸福感の増大をポジティブな発達と捉える老年的超越理論を提示した。加齢の深まる超高齢期は、身近な人との別れや身心機能の低下など社会的にも心理的にも喪失観が深まる。しかし、人には喪失を超えるポジティブな精神的発達があり、現役世代とは異なる価値観や世界観の変容がある。これらは老年的超越の徴候として、高齢期よりも幸福感が高まることを実証している。

さらに、生涯発達心理学では、これまでのライフサイクル第8段階に第9階の超高齢期を設定したJ・エリクソンは、『ライフサイクル、その完結編』の中で、老年的超越を第9階の課題として位置づけている。

同様に、超高齢期の適応的な発達が可能であることを示すものに、バルテスのSOC理論（補償を伴う選択的最適化）からの示唆がある。この理論は、人は加齢に伴う機能低下や喪失に対し、元の状態に近づける方略として、一連のプロセス（目標の選択、資源の最適化、補償）を発達させ、それまでの水準を維持しようとすることを明らかにしている。

これらの理論からは、超高齢者は構想力によって、少ないエネルギーを最適化した行動を行っていることが明らかとなる。

文化資本を生かした奄美の地域経営

健康長寿を体現している超高齢者は、豊富な人生体験の中で、伝統・祭礼文化・仕事・生活における知識・ノウハウ・職人の力量などを文化資本の核として蓄積している存在である。そのような役割の場があるコミュニティでは、超高齢者は文化を再生産する担い手でもある。

一方、超高齢者がこのような機能を発揮しうる経済的な基礎は、現在の社会保障制度における国民年金制度や長寿慰労金などの制度であり、ここには、次（現役）世代から超高齢者への所得の再分配が行われる。超高齢者は自己の文化資本を活かして、学びあい・育ちあいの交流の場を通じ、若い世代との文化の再分配システムが機能する。これらの視点から、奄美のシマにおいて文化資本と経済資本の分配がどのように機能しているのか、実証を通じ明らかにしてきた。

超高齢者の人間発達とかかわる自然・社会の環境要因や地域・場における存在意義、主体的役割について視野を広げていくと、超高齢者は自然環境を保全しつつ、人とひととの心のつながりや、信頼関係を持続的に発展させる力量を身につけている。先覚の実践や知恵、徳などから学び、継承するなかで、個々人は多様で質の高い文化資本を体得していることがみえてくる。

さらに、これらの体得した力量を生かして、超高齢者は目に見える（目に見えない）文化資本を生み出すことができる。目に見える自然資本（美的景観や健康環境づくり）、目に見える文化資本（神社仏閣、住まい、学校、文化財、建築物や景観的まちなみなど）、目に見える社会関係資本（公共の広場、公民館・公共施設など）として、集落の自治力によって保全・維持・発展されている。これらの資本は、長寿の地域要因や支援要因として浮かび上がってくる。

展望

本書では、奄美の長寿を実現している基盤に注目し、地域で生活し、経営を行う人間を主体とした地域経営という概念を基盤に、心理学が解明した老年的超越や社会学や経済学、さらには経営学や民俗学の研究成果を生かして、長寿地域が、健康長寿と生きがいなどによる幸福度の最高である社会であることを論じてきた。

この視点から見た奄美は、自然と社会の環境を基盤とする場であり、年齢を重ねた各人が人生経験から、貴重な価値ある資産を文化資本として、蓄積している社会であった。

奄美に注目すると、これからの超高齢社会が、健康障害や社会保障費の負担が多くなる未来ではなく、健康長寿で次世代が育つ、社会的費用負担が最小の健康長寿と、合計特殊出生率が高い社会が実現することが見えてくる。

本書が長寿と人間発達の新老年学を確立し、長寿地域奄美の豊かな文化資本や社会関係資本から、超高齢者の幸福感とコミュニティの役割を考察する理由がここにある。

あとがき

本書は、名古屋学院大学に提出した学位論文「奄美のシマ（集落）にみる文化資本を活かした地域経営：伝統と協働のダイナミズム」を書き改めたものである。ネガティブな老い感が蔓延するなか、奄美の研究から明らかになったポジティブな老いの姿を多くの方々に紹介したい、長生きを幸せと感じ、前向きに暮らす奄美の長寿者たちの生き生きとした姿から、老いをポジティブに捉えてほしいと思ったのである。

奄美には、時間だけが忙しく過ぎる都会にはない、人間が自然と溶け合って生きる生活スタイルがある。ゆっくりとした生活リズムは人間の心の波長にあっているのだろう。人々は大らかで、いつ訪れても、疲れた心と体を癒してくれる。人々の温もりとやさしさに歓待される。奄美に行くたびに、人々のもてなしや笑顔、そして、暮らしの営みに触れるたびに〝心が豊かになる〟。

そこにはまるで、幕末から明治初期の日本人の営みを描いた渡辺京二の『逝きし世の面影』の世界がある。「陽気な人々」、「簡素とゆたかさ」「親和と礼節」、「子供の楽園」などの章には、貧しいけれど陽気で親切で満ち足りた日本人の姿が描かれている。西洋人が一様に感嘆した姿が映し出されている。これらは、当時の西洋社会の風景、地下鉄の車内で疲れ切って眠りこける人々と対比的に描かれている。しかしそれは、現在の日本の都市部の人々にみられる日常の姿と重なる。

また奄美の暮らしには、ヘレナ・ノーバーグの『懐かしい未来　ラザックから学ぶ』に紹介されている、伝統的な暮らしや価値観とも重なる。どちらも、伝統的な暮らしの中で貧しいながらも心豊かな暮らしが描写されている。

筆者は奄美・徳之島二世である。しかし、父親が早くに他界したため奄美を知る機会がなく育った。研究を通じ、奄美の人々の過酷な歴史に翻弄された暮らしや、生まれ育ったシマを誇りに生きる人々の叡智と大らかさ、祭りや年中行事、島唄、八月踊りを愉しみごととして協働し堅持してきた、シマの歴史の重みを知った。奄美の人々の、その時々の新しい風にゆっくり反応しながら伝統を守る暮らしの成果が、「長寿・多子化」の島・シマを形成していると確信している。

今日、日本の各地では、大洪水、地震、津波などの大災害被害が頻繁化している。私たちは、災害がいつ、どこで起こるか予測できない、深刻な社会問題に直面している。しかし、東日本大震災の被災地の復興を見る限り、人々の暮らしにとっては、ハード面の整備よりも、コミュニティや文化が再建の力であることを示している。危機的な状況の中で、暮らしの基底にあった歴史や、脈々と続いてきた祭事や郷土芸能などの文化的力が、人々の震災復興の再生につながる原動力になっている。伝統文化には、人々の孤立した心を一体化し、つながりあう力があると思えるのである。

健康長寿の実現と子ども達が歓声を上げて戯れる社会には、コミュニティのつながりの力が大きい。そこには少子高齢化の深刻な未来はない。この発見は、奄美群島における地元の方々のご協力がなければ、なしえなかった内容であった。ご協力いただいた皆様に深く感謝を申し上げたい。

また、私の研究を支えてくださった市民大学院（文化政策・まちづくり大学校）の池上惇先生、中谷武雄先生、そして、名古屋学院大学で主査を引き受けてくださった十名直喜先生、古池嘉和先生に厚くお礼申し上げたい。最後に、私の我儘な研究を長年容認してくれた家族に感謝したい。

《注》
1 トーンスタム著、冨澤公子・タカハシマサミ（訳）（2017）『老年的超越：歳を重ねる幸福感の世界』。
2 島尾敏雄「奄美日本の南島」『島にて』20〜32頁。
3 喜山荘一（2009）『奄美自立論』第一書房、195頁。
4 松下志朗（1983）『近世奄美の支配と社会』第一書房、110〜121頁。
5 三木靖（1974）「近世島民の自給的生業と島津藩政」『奄美文化誌』55〜53頁。
6 奄美新聞2014年12月23日付け。
7 原井一郎（2005）『苦い砂糖：丸田南里と奄美解放運動』高城書房、14頁。
8 西村富明（1993）『奄美群島の近現代史』海風社、16頁。
9 薗博明（2004）「いま奄美は：日本復帰後の開発と自然・社会環境の変容」松本泰丈ら編『奄美復帰50年：ヤマトとナハのはざまで』101〜110頁。
10 名瀬市誌編纂員会（1983）「名瀬市誌」。
11 永田浩三（2015）『奄美の奇跡：祖国復帰の若者たちの無血革命』315頁。
12 野村三郎（1974）『奄美文化誌』84頁。
13 薗博明、前掲書、105頁。
14 鹿児島県大島支庁（2013）『奄美群島の概要』78頁。
15 分析心理学者のカール・ユングが提唱し、人間の無意識の深層には個人の経験を超えた先天的な構造領域があるとする。個人的無意識の対語。
16 九学会とは、日本社会学会、日本民族学会、日本人類学会、日本地理学会、日本民俗学会、日本言語学会、日本宗教学会、日本心理学会及び日本考古学会の9学会で構成。
17 双性家族とは、父方の先祖の祭祀を基本としながら、妻=母方の祭祀も行うことを指す。
18 植木浩（1998）「文化の意義と文化政策の役割」214頁。
19 山下欣（1998）「奄美の精神世界」西田テル子著『聖なる島』24〜27頁。
20 薗博明、前掲書102〜103頁

21　名越護（２０００）『奄美の債務奴隷ヤンチュ』南方新社、２８１頁。
22　本調査は筆者が奄美群島全市町村の協力を得て、全集落（３７３）の区長を対象に郵送によるアンケート調査（回収率は５６・０３％）を実施した。調査期間は２０１７年５月〜６月である。
23　詳細は、冨澤公子（２０１９）「奄美群島における長寿の地域要因と支援要因の分析」『国際文化政策』第10号に掲載。
24　金山智子（２０１０）「離島のコミュニティ形成とコミュニケーションの発達：奄美大島編　1〜20頁。
25　稲野慎（２００８）『揺れる奄美、その光と影』南方新社。
26　アマルティア・セン（１９８８）『福祉の経済学：財と潜在能力』鈴木興太郎訳、14頁。
27　文部科学省（２０１４）『平成25年度科研費説明資料』57頁。

《**参考文献**》

有賀喜左衛門（１９６８）「ユイの意味とその変化」『有賀喜左衛門全集Ｖ　村の生活組織』、未來社。

天野正子（２００６）『老いへのまなざし：日本近代は何を見失ったか』、平凡社。

池上惇（２０１７）『文化資本入門』、京都大学学術出版会。

池上惇（２０１２）『文化と固有価値のまちづくり：人間復興と地域再生のために』、水曜社。

池上惇（２００３）『文化と固有価値の経済学』、岩波書店。

石川雅信（１９９３）「奄美の家族と『一重一瓶』」村武誠一・大胡欣一編『社会人類学から見た日本』、河出書房新社。

稲野慎（２００８）『揺れる奄美、その光と陰』、南方新社。

井上薫（１９５９）『行基』、吉川弘文館。

色川大吉（１９７４）「近代日本の共同体」鶴見和子・一井三郎編『思想の冒険』、筑摩書房、２３５〜２７６頁。

植木浩（１９９８）「文化の意義と文化政策の役割」池上惇・植木浩・福原義春編『文化経済学』、有斐閣。

内山節（２０１０）『共同体の基礎理論：自然と人間の基層から』、農文協。

エリクソン（２００１）『ライフサイクル、その完結〈増補版〉』村瀬孝雄・近藤邦夫訳、みすず書房。

小野重朗（１９８２）『奄美民族文化の研究』、法政大学出版局。

大塚久雄（1955）『共同体の基礎理論』、岩波書店。

鹿児島県大島支庁『奄美群島の概要　平成30年版』、鹿児島大島支庁。

神谷美恵子（1974）『こころの旅』、みすず書房。

金子勇（1990）「高齢化の新しい考え方：『生活の質』アプローチ」『季刊社会保障研究』255～269頁、東京大学出版会。

川崎澄雄（1987）「鹿児島県奄美群島出身者の郷友会について」『奄美学術調査記念論文集』、鹿児島県短期大学付属南日本文化研究所。

河合隼雄（2002）『ユング心理学と超越性』、岩波書店。

河合隼雄（2009）『生と死の接点』、岩波書店。

木下康仁（2003）『グラウンデッド・セオリー・アプローチの実践：質的研究への誘い』、弘文堂。

キケロー（2004）『老年について』中務哲郎訳、岩波書店。

喜山荘一（2009）『奄美自立論』、南方新社。

小坂井澄（1984）『「悲しみのマリア」の島：ある昭和の受難』、集英社。

古谷野亘・安藤孝敏編（2003）『新社会老年学：シニアライフのゆくえ』、ワールドプランニング。

近藤功行（1997）「高齢者の生と死：与論島における在宅・終末期ケア」松井政明ら編『高齢者教育論』、東信堂。

近藤功行（2003）「与論島における死亡場所：死生観と終末行動をめぐる人類生態学的研究」『志學館法学』第4号。

権藤恭之（2007）「百寿者研究の現状と展望」『老年社会科学』No・28。

権藤恭之（2016）「超高齢期の心理特徴」『Ａｇｉｎｇ　＆　Ｈｅａｌｔｈ』、No・79。

桜井徳一郎編（1984）『ハレ・ケ・ケガレ共同討議』青土社。

村武精一・大胡欣一編（1993）『社会人類学からみた日本』、河出書房新社。

里原昭（1994）『琉球弧・奄美の戦後精神史』、五月書房。

柴田博（2006）『スーパー老人の秘密』、技術評論社。

島尾敏雄（1966）『島にて』、冬樹社。

島尾敏雄（1977）『ヤポネシア序説』、創樹選書。

主婦と生活社（2013）「笑いながら死ねる島：鹿児島県与論島の医師と患者たちが作る『看取りの楽園』」、『週刊女性』

２０１３年２月５日号。

鈴木隆雄（２０１２）『超高齢社会の基礎知識』、講談社。

スロスビー・D（２００２）『文化経済学入門：創造性の探究から都市再生まで』中谷武雄・後藤和子監訳、日本経済新聞社。

世阿弥（１９５８）『風姿花伝』、岩波書店。

アマルティア・セン（１９８８）『福祉の経済学：財と潜在能力』鈴木興太郎訳、岩波書店。

祖父江逸郎（２００９）『長寿を科学する』、岩波書店。

高橋統一編（１９９８）『奄美伝統文化の変容過程』、図書刊行会。

田島康弘（１９９１）「関西における奄美郷友会の実態：徳之島出身者の各集落郷友会に対する調査から」『鹿児島大学教育学部研究紀要・人文・社会科学編』。

谷口幸一・佐藤真一編　（２００７）『エイジング心理学：老いについての理解と支援』、北大路書房。

谷口貢・松崎憲三（２００６）『民俗学講義：生活文化へのアプローチ』、八千代出版。

ダン・ビュイトナー（２０１０）『ブルーゾーン：世界の１００歳（センテナリアン）に学ぶ健康と長寿のルール』、千名紀訳、ディスカヴァー・トゥエンティワン。

玉城隆雄（１９９０）「与論の家族：朝子部落の事例を中心に」『与論・国頭調査報告書』、沖縄国際大学南島文化研究所。

辻哲夫（総監修）・久野譜也（監）（２０１７）『健康長寿のまちづくり：超高齢社会への挑戦』、時評社。

津波高志（２０１２）「与論島における洗骨改葬」『沖縄側からみた奄美の文化変容』、第一書房。

寺谷篤志・平塚伸治（２０１５）『「地域創生」から「地域経営」へ：まちづくりに求められる志向のデザイン』、仕事と暮らしの研究所。

冨澤公子（２０１８）「少子高齢化社会から長寿多子化社会へ：長寿で子宝の島奄美群島から発信する健康長寿と幸福な老いの実現」『経済科学通信』、No・１４５。

冨澤公子（２０１８）「長寿地域における長寿の地域要因と支援要因の分析：京丹後市を事例として」『大阪ガスグループ福祉財団調査・研究報告集』、Vol・31。

冨澤公子（２０１９）「奄美群島における長寿の地域要因と支援要因の分析」『国際文化政策』第10号。

中原ゆかり（１９９７）『奄美の「シマの歌」』、弘文堂。

永田浩三（２０１５）『奄美の奇跡：「祖国復帰」若者たちの無血革命』、ＷＡＶＥ出版。

名瀬市誌編纂委員会（１９７４）『名瀬市誌』、名瀬市。

新村拓（２００１）『在宅死の時代：近代日本のターミナルケア』、法政大学出版。

原井一郎（２００５）『苦い砂糖：丸田南里と奄美自由解放運動』、高城書房。

昇曙夢（１９４９）『大奄美史』、奄美社。

速見侑編（２００４）「民衆の導者 行基』、吉川弘文館。

広井良典（２００９）『コミュニティを問い直す：繋がり、都市、日本社会の未来』、筑摩書房。

平凡社（１９９９）『日本歴史地名体系「第４巻鹿児島県の地名」』、平凡社。

ホライゾン編集室（２０００）『生命めぐる島奄美：森と海と人と』、南日本新聞社。

ボールディング・ケネス・Ｅ（１９８７）『社会進化の経済学』猪木武徳ら訳、ＨＢＪ出版局。

松原治郎・戸谷修・蓮見音彦編（１９８１）『奄美農村の構造と変動』、御茶の水書房。

松本泰丈・田端千秋編（２００４）『奄美復帰50年：ヤマトとナハのはざまで』、至文堂。

三木靖（１９７４）「近世島民の自給的生業と島津藩政」長澤和俊編『奄美文化誌』、西日本新聞社。

皆村武一（１９８８）『奄美近代経済社会論』、晃洋書房。

皆村武一（２００３）『戦後奄美経済社会論：開発と自立のジレンマ』、日本経済評論社。

藻谷浩介（２０１３）『里山資本主義：日本経済は「安心の原理」で動く』、角川書店。

柳田国男（１９７６）『青年と学問』、岩波書店。

柳田国男（１９７７）「先祖の話」『新編柳田國男集第10巻』、角川出版。

柳田国男（１９７８）『海上の道』、岩波書店。

山下欣一（１９９８）「奄美の精神世界」西田照子編『聖なる島：西田照子写真集』、星企画。

ラーシュ・トーンスタム著、冨澤公子・タカハシマサミ訳（２０１７）『老年的超越：歳を重ねる幸福感の世界』、晃洋書房。

若井敏秋（２００４）「行基と知識結」速見侑編『民衆の導者 行基』、吉川弘文館。

和辻哲郎（１９７９）『風土：人間学的考察』、岩波書店。

冨澤　公子（とみざわ・きみこ）
長崎県新上五島町（奈良尾郷）生まれ。博士（経営学：名古屋学院大学）、2003 年立命館大学大学院修了、2009 年神戸大学大学院博士後期課程単位取得退学。現在、立命館大学産業社会学部非常勤講師、立命館大学衣笠総合研究機構客員研究員、市民大学院（一般社団法人文化政策まちづくり大学校）講師。元京都府職員。著書に、『遊び心とおもしろ心の社会学入門』『いつまでもおいしく夢レシピ；向老期への料理メッセージ』（編者、以上、かもがわ出版）「遠野スタイル“超高齢者いきいき物語”」『地域社会の未来をひらく』（共著、水曜社）『老年的超越；歳を重ねる幸福感の世界』（訳書・共著、晃洋書房）がある。

長生きがしあわせな島〈奄美〉　DVD付き

2020 年 6 月 20 日　第 1 刷発行
著　者　© 冨澤公子
発行者　竹村正治
発行所　株式会社かもがわ出版
〒 602-8119　京都市上京区堀川通出水西入
TEL075-432-2868　FAX075-432-2869
振替 01010-5-12436
ホームページ http://www.kamogawa.co.jp
印刷　シナノ書籍印刷株式会社

ISBN978-4-7803-1088-7　C0036